改訂第3版

カンタン!
救急蘇生

WEB動画でわかる
胸骨圧迫とAED

監修
小林正直
(市立ひらかた病院 救急科 主任部長)

石見 拓
(京都大学大学院医学研究科
社会健康医学系専攻予防医療学分野 教授)

編集　特定非営利活動法人
　　　大阪ライフサポート協会

Gakken

■監修
　小林　正直　市立ひらかた病院救急科 主任部長
　石見　　拓　京都大学大学院医学研究科 社会健康医学系専攻 予防医療学分野 教授

●編集
　特定非営利活動法人 大阪ライフサポート協会

●協力
　公益財団法人 日本AED財団

●撮影監督
　岸本　正文　大阪府立中河内救命救急センター 副所長
　石見　　拓　前掲

●動画編集
　小林　正直　前掲
　島本　大也　京都大学大学院医学研究科 社会健康医学系専攻 予防医療学分野 特定助教

●執筆者一覧（執筆順）
　西山　知佳　京都大学大学院医学研究科 人間健康科学系専攻
　　　　　　　クリティカルケア看護学分野 准教授
　島本　大也　前掲
　本間　洋輔　千葉市立海浜病院集中治療科 主任医長／
　　　　　　　特定非営利活動法人ちば救命・AED普及研究会 理事長
　田島　典夫　愛知県小牧市消防本部
　千田いずみ　明治国際医療大学保健医療学部救急救命学科 講師
　石見　　拓　前掲
　立川　法正　豊後荘病院精神科／
　　　　　　　特定非営利活動法人いばらき救命教育・AEDプロジェクト 理事長

カバー・表紙・本文：若井夏澄（tri）
表紙イラスト：秋葉あきこ
本文イラスト：秋葉あきこ，ナカムラヒロユキ，日本グラフィックス，
　　　　　　　たまおともこ（特定非営利活動法人 大阪ライフサポート協会）
動画撮影：松原大祐（株式会社ニューメディアランドマツバラ）
撮影協力：京都里山SDGsラボ「ことす」，市立ひらかた病院

はじめに

　日本で起こる心臓突然死（しんぞうとつぜんし）は，毎年約7万人．突然の心停止（しんていし）は，いつでも，どこでも，誰にでも起こります．あなたの周りでも，いつ起こってもおかしくないのです．そして，この突然の心停止のなかには，あなたが行う胸骨圧迫（きょうこつあっぱく）（心臓マッサージ）やＡＥＤ（エーイーディー）（自動体外式除細動器（じどうたいがいしきじょさいどうき））を用いた電気ショックで救える命がたくさんあるのです．突然の心停止の特徴は，その場での素早い対応が生死を分けるということです．そしてその場には，医療の専門家はいないことも多いと思いますし，限られた人しかいないことも多いと思います．倒れたその人の命は，『あなた』にしか救えないかもしれないのです．

　本書は，『カンタン』というタイトルをつけて，突然の心停止や急病から命を救う方法をできるだけシンプルに，わかりやすく伝えることを目指しています．このタイトルには，突然の急病人への対応方法を身近に感じてほしい，自分にもできると感じてほしいという思いが込められています．また，前版は映像をDVDに収録していましたが，この本ではWeb動画となりました．ネットが繋がる環境であればいつでもどこでも，お手持ちのスマートフォンから『カンタン』に動画を見ていただけます．この本や付属の映像を使って，胸骨圧迫やAEDを体験していただくと，意外とカンタンだと感じてもらえると思います．

　実際の心停止の現場は，緊迫感があり，騒がしく，その場で行動を起こすことはカンタンではないかもしれません．心臓が止まっているか，胸骨圧迫やAEDの使用を始めるべきか，自信をもって判断できないかもしれません．でも，そんなときこそ，救急蘇生（きゅうきゅうそせい）をできるだけカンタンなものだと思い出し，そのとき，あなたにできることを行動に移してほしいと思います．それは，倒れた人に声をかけることかもしれませんし，119番通報やAED，応援を呼ぶことかもしれません．完璧でなくてもよいので，何か，行動を起こすことで，救える命がたくさんあります．そんな，本書に込められたメッセージを感じていただき，周りの人たちにも広げていただきたいと思います．

　あなたの大切な家族や友人，救いうる大切な命を救うために，一緒に胸骨圧迫とAEDを学び，広げましょう！

2022年8月

著者を代表して　石見 拓

Web動画の見方

- 本書の内容で動画データが収録されているものには，2次元バーコードを付けて示しました．本文や図解と併せて動画を確認すれば理解度がさらにアップします！
- 動画の再生には，トップメニューから動画を選択する方法と，直接動画を確認する方法の2つがあります．

●動画の再生方法

❶ トップメニューから順番に動画を確認する

お使いのブラウザに，下記URLを入力するか，右の2次元バーコードを読み込むことで，メニュー画面に入ります．希望の動画を選択し再生することも可能です．

https://gakken-mesh.jp/kantan-QQsosei/

❷ 2次元バーコードから直接動画を確認

本文に印刷された2次元バーコードを読み取ると，動画の再生画面に直接ジャンプします．本文の解説と併せて動画を確認できます．

●動画収録内容一覧【合計再生時間（目安）80分】

動画タイトル	QRコード
イントロダクション	p.2
人工呼吸も行う心肺蘇生法	p.13
子どもの心肺蘇生	p.24
窒息への対応	p.28
◆心停止のシナリオ	
・シナリオ1 目撃のある心停止：電気ショック適応例	p.22, 46
・シナリオ2 目撃のない心停止：電気ショック非適応例	p.23, 46
◆各種のAED	
・I-PAD CU-SP1（株式会社CU）	p.18 p.42-43 p.48
・レスキューハート HDF-3500（オムロンヘルスケア株式会社）	
・ハートスタートFRx+（株式会社フィリップス・ジャパン）	
・ZOLL AED Plus（旭化成ゾールメディカル株式会社）	
・ZOLL AED3（旭化成ゾールメディカル株式会社）	
・サマリタンPAD 450P/360P（日本ストライカー株式会社）	
・LIFEPAK CR2（日本ストライカー株式会社）	
・カーディアックレスキュー RQ-5000（日本ライフライン株式会社）	
・カルジオライフ AED-3100（日本光電工業株式会社）	

●推奨閲覧環境

- ●パソコン（Windows または Macintosh のいずれか）
- ●Android OS 搭載のスマートフォン/タブレット端末
- ●iOS 搭載の iPhone/iPad など
  - ・OSのバージョン，再生環境，通信回線の状況によっては，動画が再生されないことがありますが，ご了承ください．
  - ・各種のパソコン・端末のOSやアプリの操作に関しては，弊社ではサポートいたしません．
  - ・通信費などは，ご自身でご負担ください．
  - ・パソコンや端末の使用に関して何らかの損害が生じたとしても，弊社は責任を負わないものとします．各自の自己責任でご対処ください．
  - ・2次元バーコードリーダーの設定で，OSの標準ブラウザを選択することをお勧めします．
  - ・動画に関する著作権は，すべて株式会社学研メディカル秀潤社に帰属します．本動画の内容の一部または全部を許可なく転載，改変，引用することを禁じます．
  - ・動画は予告なく削除される可能性があります．

Contents

第1章　心臓突然死の現状

心臓突然死の現状　西山知佳 …… 2
◆メッセージ〜心停止，遺族のことば〜　前重壽郎, 前重奈緒 …… 6

第2章　救命の方法

①AEDを用いた救命処置の流れ　島本大也 …… 8
②心肺蘇生　島本大也 …… 10
③AEDの使い方　島本大也 …… 14
④心停止のシナリオ　島本大也 …… 20
⑤乳児・小児の救命処置　本間洋輔 …… 24
⑥窒息　本間洋輔 …… 28
⑦心停止の予防　本間洋輔 …… 33
⑧新型コロナウイルス感染症（COVID-19）流行期への対応　西山知佳 …… 38
⑨ストレスへの対応　田島典夫 …… 41
◆オートショックAED　小林正直 …… 18
◆最新の蘇生ガイドラインと心肺蘇生の歴史　石見拓 …… 19
◆AED製品の紹介　千田いずみ …… 42

第3章　講習会の開き方

①胸骨圧迫のみの心肺蘇生を学ぶ短時間講習　千田いずみ …… 46
②オンライン講習　本間洋輔 …… 53
◆学校での救命教育実践の勧め（学習指導要領の改訂をふまえて）　立川法正 …… 50
◆心肺蘇生学びのツール　千田いずみ, 立川法正 …… 56
◆救急蘇生の疑問解決Q&A　千田いずみ …… 58
◆救急蘇生でよく使われる用語一覧　千田いずみ …… 60

引用・参考文献 …… 63
Index …… 64

表紙で解説！
忙しい人のための救急蘇生

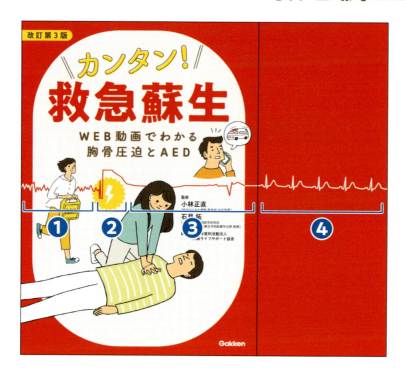

　表紙の中心を走るギザギザとした線は「突然心停止となった人が救急蘇生により回復するまで」の心電図の変化です．

　左側のギザギザとした線（❶）は心室細動という心臓のけいれんで，黄色いイナズママークの近くの大きな山（❷）はAEDによる電気ショックを示しています．「電気ショックもしたし，これでひと安心！」……かと思いきや，なんだかだらりとした線（❸）になってしまいました．というのも，電気ショックで「心室細動」と呼ばれる心臓の筋肉の細かい震えを取り除くことができても多くの場合，心臓がポンプとして機能しだすまでに時間がかかります．この間も胸骨圧迫を行い，ダメージを受けた心臓に血液を送り続けることで，正常な拍動（❹）を取り戻すことができるのです．

　このように，胸骨圧迫とAEDによる電気ショックの2つを組み合わせることによって効果が高まるため，胸骨圧迫とAEDはいわば「車の両輪」の関係にあると言えます．

　もし，心停止で人が倒れた場面に遭遇して，どうしたらよいかわからなくなってしまったら，この本の表紙を思い出してください．
　まず，イラストのように「119番通報・AED・胸骨圧迫」を．
　そして，ショックのあとも反応や呼吸が戻るまで，通信指令員やAEDの指示に従いながら胸骨圧迫を続けましょう！

第1章
心臓突然死の現状

第1章 心臓突然死の現状

イントロダクション

▶ 心臓の働きと心停止(しんていし)

　心臓は胸の真ん中からやや左寄りの位置にある「こぶし大」の大きさの臓器です．
　心筋(しんきん)と呼ばれる筋肉でできていて，酸素や栄養を運ぶ血液を体のすみずみまで送り出すポンプの働きをしています．ヒト（動物）が生きている間，心臓は休むことなく働き続けています．ヒトの場合，1日に約10万回，一生の間には30億回以上も動く，働き者の臓器です．

　心停止とは心臓の働きがなくなってしまった状態で，全身に血液が回らなくなってしまいます．脳に血が回らないと，数秒で意識・反応がなくなります．そして普通の息をしなくなったり，息が止まったりします．倒れた直後には全身がけいれんする場合もあります．突然，目の前で人が「バタッ」と倒れたら，心停止の可能性があることを知っておいてください．

▶ 心臓突然死(しんぞうとつぜんし)とは

　心臓病による死亡の多くは病院の外で突然起こり，心臓突然死といわれています．心臓が原因で病院の外で心停止になる人は，年間約7万人もいます[1]．毎日，約200人もの人が日本のどこかで突然の心停止になっているのです．

▶ 心臓が原因の病院外心停止からの救命率（社会への復帰率）

心臓の病気が原因で病院の外で心停止となった人の救命率の推移を下の図に示します．
ＡＥＤ（エーイーディー）の普及や救急救命士制度の充実など，地域の救急システムの改善によって救命率は上昇していますが，いまだに，多くの人は助からないというのが現状です．

●救命率の経年変化（市民が倒れる瞬間を目撃した心原性心停止の１か月後社会復帰率）

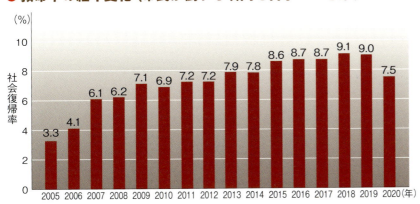

日本では年間約12万人の病院外の心停止が発生し，そのうち約6割が心臓が原因の心停止です（心原性心停止）．倒れるところを目撃された人の社会復帰割合は徐々に増えていますが，10％に満たないのが現状です．
2020年の救命率は低下していますが，これは新型コロナウイルス感染症の拡大に伴い，市民による救命処置の実施が減ってしまったことの影響が考えられます（詳細はp.38参照）．

（総務省消防庁：令和3年版　救急救助の現況．
https://www.fdma.go.jp/publication/rescue/items/kkkg_r03_01_kyukyu.pdf）（2022年8月2日検索）

▶ 突然の心停止はどうやって起こるの？

突然の心停止の多くは，心室細動（しんしつさいどう）という不整脈（ふせいみゃく）によって引き起こされます．心室細動とは，心臓の筋肉がバラバラに小刻みに震え，血液をポンプとして送り出すことができない状態（心停止）です．この心室細動から救命するためには，一刻も早く電気ショックを行う必要があります．

▶ 突然の心停止は誰に起こるの？

プロスポーツ選手が試合中に突然倒れる例など，突然の心停止は，いつでも，どこでも，誰にでも起こりえます．あなたやあなたの家族，友達が，突然倒れることもあるのです．

●病院外の心停止（心臓突然死）の発生場所

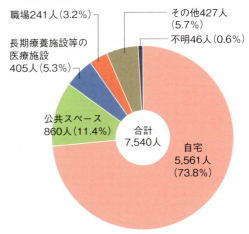

▶ 突然の心停止はどこで起こるの？

突然の心停止のおよそ７割は，右の図に示すように自宅で起こります[2]．身近なところで，突然の事態が発生しても，

(Iwami T, et al: Outcome and characteristics of out-of-hospital cardiac arrest according to location of arrest: A report from a large-scale, population-based study in Osaka, Japan. Resuscitation. 69(2); 221-228, 2006より引用)

素早く対応できるように，日頃から準備をしておくことが大切です．

学校での心停止

　学校では毎年およそ30人もの児童生徒の心停止が発生しています．学校での死亡原因の多くは心臓突然死です．小中学校内での心停止の84％がグランドやプール，体育館など運動に関連して起こっています[3, 4]．一般に若者ほど心停止からの救命率が高いことが知られており（下図参照）[5]，心停止の瞬間が目撃されやすい状況であること，ほぼ全ての学校にAED（自動体外式除細動器）が設置されていることを考えると，児童生徒および教職員への心肺蘇生の訓練，緊急時の連携体制の整備などによってさらに高い救命率が期待できます．

●年代別, 性別, 市民が倒れる瞬間を目撃した心原性心停止の1か月後社会復帰率

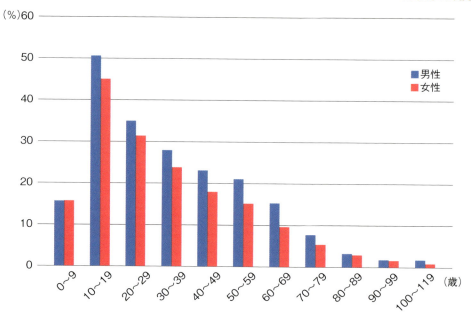

（総務省消防庁：令和2年版 救急救助の現況 救急編. p.88, 2020.
https://www.fdma.go.jp/publication/rescue/items/kkkg_r02_01_kyukyu.pdf（2022年7月14日検索）をもとに作成）

突然の心停止からの救命に必要なこと

　心停止の現場に居合わせた人が行う救命処置を一次救命処置（Basic Life Support：BLS）といい，具体的には，胸骨圧迫と人工呼吸からなる心肺蘇生，AEDを用いた電気ショック，窒息への対応があります．

　心臓が止まってしまった人を救うためには，できるだけ早く救命処置を実施することが重要であり，救急隊や医師が到着してから行う処置よりもその効果は大きいといわれています．

●時間経過と救命の可能性

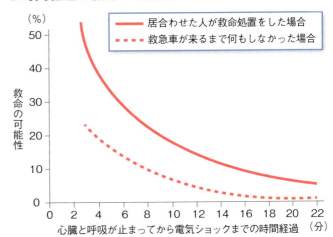

(Holmberg M, et al: Effect of bystander cardiopulmonary resuscitation in out-of-hospital cardiac arrest patients in Sweden. Resuscitation, 47(1): 59-70, 2000をもとに作成)

右の図に示すように，心停止の現場に居合わせた人が救命処置を開始すると救命の可能性が高まります．また，電気ショックが遅れると急速に救命率が低下するため，AEDが到着次第，すみやかに電気ショックを行う必要があります[6〜8]．

心停止の現場に居合わせた人がただちに心肺蘇生を始めた場合の救命率は，救急車が来るまで何もしなかった場合の約2倍，AEDを用いて電気ショックを行うと更に2倍（左下の図）になるといわれています[9]．なかでも，絶え間なくしっかりと胸骨圧迫を行うことが重要で，右下の図に示すように胸骨圧迫だけの心肺蘇生でも，人工呼吸つきの心肺蘇生と同等の効果があるといわれています[10〜12]．

心停止の現場に居合わせた市民による心肺蘇生実施は年々増加していますがまだ50％程度，AEDを用いた電気ショックが行われた割合は，目撃されたケースのわずか5％程度しかありません[5]．

目の前で人が倒れたら，119番通報をして，AEDを要請するとともに，胸骨圧迫だけでもよいので心肺蘇生を続け，AEDによる電気ショックにつなげてください．

●AEDによる電気ショックと救命率

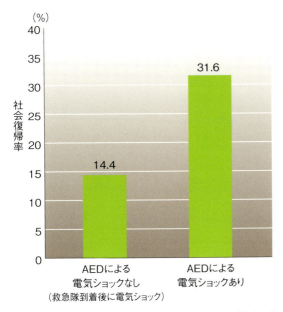

(Kitamura T, et al: Nationwide public-acces defibrillation in Japan. N Engl J Med, 36(11): 994-1004, 2010をもとに作成)

●胸骨圧迫のみの心肺蘇生の有効性

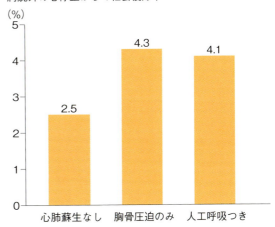

(Iwami T, et al: Effectiveness of bystander-initiated cardiac-only resuscitations for patients with out-of-hospital cardiac arrest.Circulation, 116(25): 2900-2907, 2007をもとに作成)

メッセージ ～心停止，遺族のことば～

突然の心停止でご家族を亡くされた方からのメッセージ

前重 響さんは，2004年5月27日に学校の授業で行われていたスポーツテストの1,500m走の途中で突然心停止となり，倒れました．残念ながら止まった心臓が再び動かずに，1,500mを完走することなく亡くなられてしまいました．

響さんのお父様とお母様から読者の皆様へメッセージをいただきました．

> 2004年5月，17歳の息子は私たちにたくさんの思い出を残し旅立って逝きました．
> それから後，心肺蘇生（しんぱいそせい）の大切さ，AED（エーイーディー）の必要性を学び，自分たちにも救える命があることを知りました．そして同時に息子の命は救える命だったと知りました．
> 少しの知識，そして一歩踏み出す勇気で大切な命を明日につなげることができるのです．
> 多くの人が心肺蘇生法を学び，AEDを知ることで「救命の心」の根づいた社会がくることを願っています．
> 　　　　　　　　　　　前重壽郎・奈緒（大阪府）

突然の心停止は，いつどこで，誰に起こるかわかりません．悲しい思いをする人が少しでも少なくなるように，救命処置を学び，広げていきましょう．

ご紹介したメッセージによって，多くの方に「胸骨圧迫とAEDを学ぼう！」「周りの人にも救命処置の大切さを伝えよう」と思っていただければ幸いです．

大阪ライフサポート協会 PUSHプロジェクトでは，突然の心停止でご家族を亡くされた方々の想いを広く届けるために，メッセージビデオ『あなたにしか救えない大切な命 ～君の瞳とともに～』を作成し，公開しています．

日本AED財団の「減らせ突然死 AEDプロジェクト」のホームページでは上記のメッセージビデオに加えて，突然の心停止に遭遇し救助活動を行った方々のメッセージ等も紹介されています．ぜひご確認ください．

◆日本AED財団　減らせ突然死 AEDプロジェクトHP（http://aed-project.jp/）
「命の記録MOVIE」

命の記録MOVIE

第2章

救命の方法

第2章 救命の方法① AEDを用いた救命処置の流れ

救命の連鎖

　突然心停止となり失われてしまう命を救うために必要な一連の行動をまとめたものが「救命の連鎖」です．救命の連鎖は，①心停止の予防，②心停止の早期認識と通報，③一次救命処置，④二次救命処置と心拍再開後の集中治療，の4つの輪からなり，これらがうまくつながることで救命の可能性が増えていきます．救命の連鎖における最初の3つの輪を実施するための資格は不要で誰でもできます．つまり，現場に居合わせた市民が「救命の連鎖」を支える最も重要な役割を担っているのです．

●救命の連鎖

日本蘇生協議会（JRC）蘇生ガイドライン2020に基づいて描いた救命の連鎖（chain of survival）

AEDを用いた救命処置の流れ

　AED（自動体外式除細動器）を用いた救命処置の流れを右のページに示します．心停止は一分一秒を争う状態のため，救命処置の開始が遅れることが，脳や心臓をはじめとした臓器に重大な障害を生じさせ，救命できない，命は助かっても脳の機能が元に戻らない，といった結果に繋がります．突然人が倒れた場合にとる行動で大事なことは，心停止の可能性を疑い声をかけること，反応と呼吸がないか普段通りでなければ胸骨圧迫とAEDの使用を開始すること，判断に迷った場合は心停止の可能性を想定して心肺蘇生やAEDの使用を実施することです．

●AEDを用いた救命処置の流れ

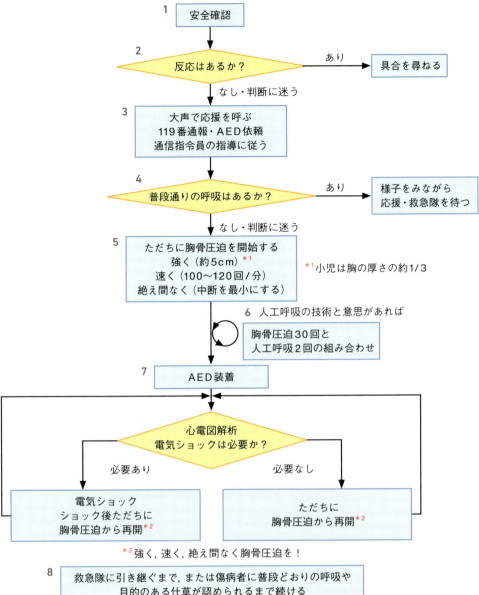

（日本蘇生協議会 監：JRC蘇生ガイドライン2020 市民用BLSアルゴリズム．p.20，医学書院，2021より引用）

胸骨圧迫のみでも十分な救命効果が！

　心肺蘇生は人工呼吸と胸骨圧迫からなる手技ですが，人工呼吸は胸骨圧迫と比較して手技が難しいうえに，口を接触することに対する抵抗感や感染リスクへの心配もあり，胸骨圧迫と比較して実施が難しい手技といえます．また，近年多くの心停止には胸骨圧迫のみの心肺蘇生で十分な救命効果があることが示されていることから[2)]，迅速で絶え間ない胸骨圧迫のみの心肺蘇生が一般市民へ広められています．人工呼吸を行う技術と意思がある場合は，30回の胸骨圧迫に対して2回の割合で人工呼吸を繰り返す心肺蘇生が勧められています．

心肺蘇生

第2章 救命の方法②

　ここではみなさんが突然の心停止になってしまった人を救助する状況を想定し，胸骨圧迫のみの心肺蘇生を解説します．心肺蘇生の講習会に参加して手技を実際に体験し，使える技術として身につけておくことが大切です．

1) 反応の確認

- あっ！ 目の前で人が倒れました．普通の転倒と違って，防御のない突然の転倒は心停止の可能性があります．
- 周囲の安全を確認してから近づきます．肩をたたきながら，大声で「大丈夫ですか？」などと声をかけ，反応があるか確認します．
- 「反応」とは，言葉を発する，目を開ける，顔をしかめる，手を払いのける，などの目的のある仕草がみられることです．

周囲は安全！

人工呼吸も実施する場合の心肺蘇生（30対2の心肺蘇生）

　基本的には胸骨圧迫のみの心肺蘇生でも十分な効果が期待できますが，おぼれた場合（溺水），喉に物を詰まらせた場合（窒息），小児の場合，心停止から時間が経っている場合などでは，胸骨圧迫と人工呼吸を組み合わせた心肺蘇生を行うのが理想的です．
　人工呼吸を行う技術と意思がある場合は30回の胸骨圧迫と2回の人工呼吸を繰り返す「30対2の心肺蘇生」を行います．胸骨圧迫のみの心肺蘇生の次は，人工呼吸を組み合わせた方法もぜひ学んでください．

不安もあると思いますが，勇気をもって声をかけてあげてください

大丈夫?!

❷ 助けを求める「反応なし，119番通報，AED」

- 倒れた人に反応がない場合は，ただちに大声で助けを呼びます．
- 周囲の助けてくれそうな人に，「反応なし，119番通報，AED」の3つのキーワードを伝えます（もし自分しかいなければ，119番通報を優先して実施します）．

わかった！
119番通報
してくる．

AED持って
くるね！

反応がない！
119番通報と
AEDを持ってきて！

● 周囲に人がいない場合はスピーカーモードで119番通報！

口頭指導について

119番通報をすると，電話に出た消防の指令員が具体的な救命処置を教えてくれます．普段どおりの呼吸があるかないかの判断は難しいことも多いですが，指示をしっかり聞いて指令員に状況を伝えましょう．心停止の疑いがあれば指令員は心肺蘇生の手順を教えてくれます．その際，電話をスピーカーモードにすることで，両手を空けつつ指令員のサポートを受けることができます．

「イチ・ニ・サン」くらいの速さで連続して強く圧迫してください

画像提供：高槻市消防本部

❸ 呼吸の確認（心停止の判断）

- 反応がなく，普段どおりの呼吸がなければ心停止です．上半身，特に胸とおなかの動きを観察して，普段どおりの呼吸があるかどうかを5～10秒以内で判断します．
- 判断に迷ったり，わからない場合は，心停止と判断して胸骨圧迫に進みます．
- 倒れた直後は，あごをしゃくりあげるような途切れ途切れの呼吸（死戦期呼吸＊）がしばしば見られますが，これも正常な呼吸ではありませんので心停止と判断します＊＊．

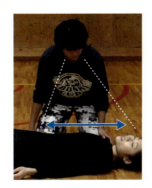

＊本書付属動画の「人工呼吸も行う心肺蘇生」を参照してください．
＊＊本書付属動画の『シナリオ1 目撃のある心停止：電気ショック適応例』，または『シナリオ2 目撃のない心停止：電気ショック非適応例』を参照してください．
このQRコードから死戦期呼吸の実際の動画を見ることができます➡
（Agonal Gasps-Bondi Beach Rescue）

心停止の人が何もされずに放置された場合，状態は急速に悪化し，救命のチャンスがなくなります．心停止ではない人に胸骨圧迫を実施しても大きな害はありません．判断に迷った場合は，胸骨圧迫を実施することが大切です．

4) 胸骨圧迫（いわゆる心臓マッサージ）の開始

- 反応がなく，普段どおりの呼吸がなければ心停止です．ただちに胸骨圧迫を開始します．
- 胸骨とは，胸の真ん中にある細長い板のような骨です．胸骨の下半分を強く押すことで，止まった心臓の代わりに脳や心臓に血液を送ることができます．
- 両手を重ねて手の平の付け根を突き出し，胸骨の下半分の位置に置きます．
- 胸骨の下半分は胸の真ん中（上下左右の真ん中）を目安にします．
- 圧迫部分がわからない場合を除いて，服を脱がせる必要はありません．
- 両腕の肘を伸ばし，1分間に100～120回の速さで，胸骨が約5cm沈むまでしっかり圧迫します．
- 圧迫をゆるめるときには，押さえた胸骨が元の位置に戻るようにしてください．その際に圧迫の場所がずれないように注意します．

肘を伸ばす

●

●胸骨圧迫の位置
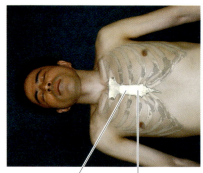
胸骨　圧迫点

●手の平の位置
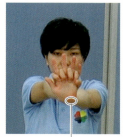
手の平の付け根

倒れている人にしっかり近づき，膝を広げて安定させます．肩と肘が一直線に胸骨の真上にくる姿勢が適しています．目線を腕のあたりにすると肩が胸骨の真上になります．肘を伸ばしたまま真上から上半身の体重をしっかりとかける・抜く，を繰り返すことで，強い圧迫を継続することができます．

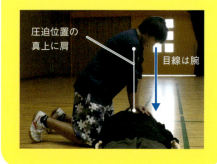
圧迫位置の真上に肩　　目線は腕

5) 胸骨圧迫の継続

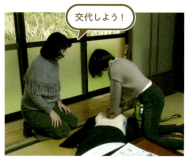
交代しよう！

1, 2, 3！

- 倒れた人が動き出すか，AEDからの指示があるか，救急隊と交代するまで胸骨圧迫は継続します．
- 疲れる前に周りの人と交代することで，十分な深さと速さを保った良質な胸骨圧迫を続けてください．
- 胸骨圧迫を交代するときは，「1，2，3！」などとお互いに声をかけ合って，胸骨圧迫の中断時間が短くなるように意識してください．

 胸骨圧迫を連続して行うことで徐々に血圧は上がっていきます．中断してしまうとたちまち血圧は低下し，十分な血圧に戻るのに時間がかかってしまいます．普段，私達の心臓が絶え間なく動いているように，胸骨圧迫もできるだけ絶え間なく実施する必要があります．

● **絶え間のない胸骨圧迫の重要性**

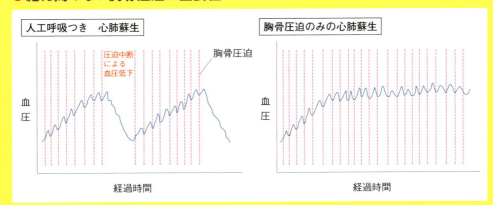

(Berg et al, 2001)

人工呼吸も行う心肺蘇生

人工呼吸をすることにためらいがなく技術に自信がある場合は，胸骨圧迫30回と人工呼吸2回のサイクルを繰り返しますが，人工呼吸を行う際も胸骨圧迫の中断時間ができるだけ短くなるように留意してください．
（詳細は本書付属動画の『人工呼吸も行う心肺蘇生法』参照）

人工呼吸も行う心肺蘇生法

まとめ

- 目の前で人が倒れたら，一歩駆け寄り声をかける．
- 救命のためには，すみやかな救命処置が必要．
- 反応がなく，普段どおりの呼吸でなければ心停止．判断に迷う場合も心肺蘇生を開始．
- 胸骨圧迫は，強く，速く，絶え間なく．

第2章 救命の方法③

AEDの使い方

　突然の心停止の原因には，心臓が細かく震えて心臓から血液を全身に送り出すことができない状態となる「心室細動」と呼ばれる不整脈が多いとされています．AEDはこの「心室細動」という異常なリズムを正確に判断し，電気ショックを与えることでその震えを取り除く医療機器です．震えが取り除かれた後，心肺蘇生によって心臓や脳に血液を流すことによって，心臓は元のポンプのような本来の動きを取り戻します．電気ショックが早ければ早いほど，救命の可能性は高くなります[1]．

　AEDは電気ショックの実施だけでなく，電気ショックが必要かどうかの判断もしてくれます．心停止でない人に電気ショックを行うことはなく，混乱する救命の現場で音声や画面で心肺蘇生や電気ショックについて指示を出してくれるとても心強い器械なのです．

1 電源を入れる

- AEDが届いたら，まずAEDを傷病者の頭の近くに置いて電源を入れます．ふたを開くと自動的に電源が入るものが多いですが，電源ボタンが付いている場合もあります．
- 電源が入ったら音声や画像で指示されるのでその指示に従ってください．
- 周囲が騒々しく，AEDの音声指示が聞き取りにくい場合があります．そんなときは，周囲の人に対し「静かにしてください！」「AEDの指示を聞きましょう」などと伝え，AEDの指示を聞き逃さないようにしてください．

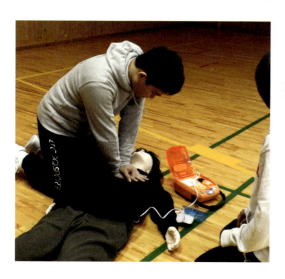

AEDを傷病者の頭の近くに置いて，電源を入れます

② 電極パッドを貼る

- 電極パッドをカートリッジや袋から取り出します．1枚ずつ保護シートからはがして，粘着面を倒れている人の"素肌に直接"貼ります（着衣・下着やアクセサリーの上に貼ってはいけません）．電極パッド表面の絵や音声指示に従い，右鎖骨の下と左わきの下に貼ります．
- 素肌に直接貼ることができれば，必ずしも服や下着をすべて脱がせる必要はありません．また，貼り付けた後，その上に布や服などをかけても大丈夫です．
- 電極パッドを貼っている間もできるだけ胸骨圧迫を続けます．

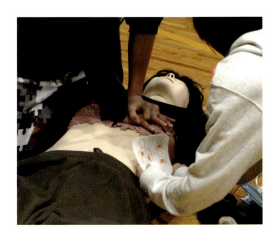

服をずらすときや，電極パッドを貼る間もできるだけ胸骨圧迫が中断しないように

 救助者が1人しかおらずAEDが現場にある場合は，胸骨圧迫よりもAEDを優先してください．

● 電極パッドの正しい位置は心臓を挟むように

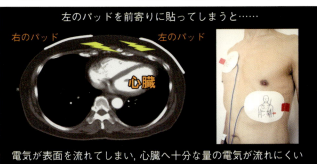

左のパッドを前寄りに貼ってしまうと……
電気が表面を流れてしまい，心臓へ十分な量の電気が流れにくい

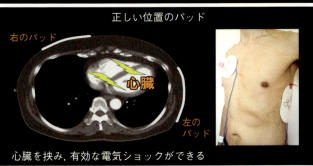

正しい位置のパッド
心臓を挟み，有効な電気ショックができる

2枚の電極パッドが近すぎると電流が体の表面近くを流れてしまう可能性があるので，しっかり心臓を挟む位置（右：鎖骨の下，左：わきの下）に貼りましょう．

 AEDにはいろいろな形のものがありますが，電源を入れて指示に従うという基本的な使い方は同じです．多くの機種は電極パッドが2枚に分かれていますが，2つの電極パッドが繋がっている一体型電極パッドの機種もあります．電極パッドの装着法に迷った場合は電極パッドの絵に貼り方が必ず記載されていますので参考にしてください．

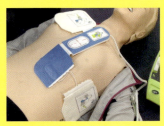

一体型電極パッドのAED

3）AEDによる解析

- 電極パッドを素肌に貼ると，AEDはそれを認識して自動的に心電図の解析を始めます．
- 胸骨圧迫を行っていると心電図の解析が迅速・正確にできないため，AEDが「体に触れないように」と音声指示をしたら胸骨圧迫を中断し，倒れている人から離れ，解析の結果を待ちます．

4）電気ショックの実施

- 電気ショックが必要な場合，AEDから「電気ショックが必要です」という音声が出て，AEDは自動的に充電を開始します．この間に，周囲の人に離れるように告げて，誰も触っていないことを確認します．充電が完了したら，「ショックボタンを押してください」という指示が出ます．
- 倒れている人に誰も触れていないことを最終確認しながら，ショックボタンを押してください[※]．
- 電気ショック完了後，「胸骨圧迫を開始してください」との指示が出ますので，ただちに胸骨圧迫から心肺蘇生を再開してください．

※近年ではショックボタンを押す必要のない機種（「オートショックAED（p.18）」）も登場しています

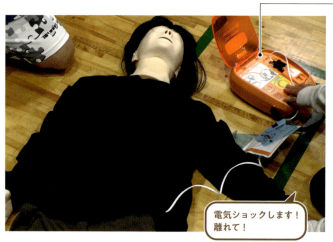 

ショックボタンを押します

電気ショックが不要な場合

解析の結果「電気ショックの必要はありません」とAEDが判断する場合もありますが，これは"心臓が動いている"という意味ではありません（p.21図参照）．この場合も，反応がなく，呼吸が普段どおりでなければ心停止です．ただちに胸骨圧迫を再開してください．

電気ショック後も
ただちに胸骨圧迫が必要

電気ショックの効果は大きいですが，電気ショック後に心臓がしっかりと動き出すまでに数分間かかるとされています．また，電気ショックを行った結果，必ずしも心臓が正しい動きに戻るとは限りません．そのため電気ショックをした後も，ただちに胸骨圧迫を再開する必要があります（p.21の図参照）

5) AEDによる解析の継続

- AEDは，電気ショックを実施した場合も，しなかった場合も，2分ごとに自動的に心電図を解析し，指示を出してくれます．
- 救急隊が到着するまで，電源は切らずに電極パッドも貼ったままにしておきます．

 倒れた人の反応や呼吸が戻ったとしても，またいつ心臓が止まるかわかりません．そのため，一度装着したAEDは電源を入れ電極パッドも着けたままにして救急隊の到着を待っていてください．

●AED使用の一連の流れ

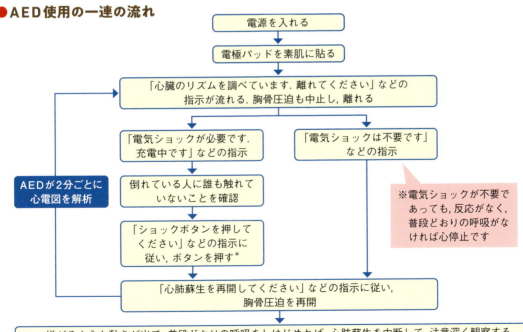

＊自動的に通電する機種もある（詳細は「オートショックAED（p.18）」を参照）．

オートショックAED

　ショックボタンがないAED（オートショックAED）が登場しています．
　オートショックAEDでは，電気ショックが必要な場合に，電極パッドを貼るだけで，「3・2・1」などのアナウンスの後，自動的に通電されるため，迅速・確実に通電できるメリットがあります．
　しかし，ショック時に「体から離れてください」というメッセージに気が付かず，救助者が心停止の人に触れたままだと感電してしまうため注意が必要です（オートショックAEDか通常のAEDかに関わらず，常に「AEDの指示に従う」という大原則が重要です）．
　オートショックAEDには通常のAEDと区別するため，図のようなマークが表示されていたり，液晶画面でアナウンスしたりされます．詳細は本書付属動画「各種のAED」より「サマリタンPAD 450P/360P」をご覧ください．

● オートショックAED

サマリタンPAD 360P
（日本ストライカー株式会社）

カルジオライフ　AED-3250
（日本光電工業株式会社）

各種のAED

● オートショックAEDのマークと画面表示のイメージ

写真提供：JEITA電子情報技術産業協会，日本光電工業

最新の蘇生ガイドラインと心肺蘇生の歴史

　胸骨圧迫と人工呼吸の組み合わせからなる"心肺蘇生"が提唱されてからおよそ60年になります．AEDが登場し，「市民に電気ショックを委ねることで，早期の除細動を実現しよう」という試みが本格的に始まったのは約20年前のことです．この間，胸骨圧迫と人工呼吸の順番が入れ替わったり，胸骨圧迫だけの心肺蘇生が受け入れられたり，電気ショックと心肺蘇生の組み合わせ方が変わったり，さまざまな変更が試みられてきましたが，迅速な胸骨圧迫と電気ショックが重要，という基本コンセプトは変わっていません．

　現在，救命処置の行い方は世界で統一されており，5年に一度，蘇生にかかわる専門家が文献など科学的知見をもとにコンセンサスを策定し，各国・各地域の実情に合わせてガイドラインを策定しています．

　蘇生ガイドラインのトピックスを振り返ると，そのときの救命処置を取り巻く環境が理解できます．

- **2000年**　世界で蘇生ガイドラインを統一しようという機運が生まれるとともに，AEDを用いた早期電気ショックの重要性が強調されました．AEDの登場は非常に大きなインパクトがあり，心停止対策の常識を変える変曲点になりました．

- **2005年**　AED重視の流れに警鐘を鳴らすことになりました．AEDを用いた電気ショックに重きがおかれるあまり，「心肺蘇生がおろそかになって一部の地域で救命率が低下した」との報告もあり，AEDだけでなく絶え間のない胸骨圧迫の重要性が再認識されました．

- **2010年**　実際の蘇生現場での心肺蘇生の質にかかわるデータが集まりはじめ，現場で行われる心肺蘇生の質が専門家であっても非常に低いことが明らかになりました．そして，心肺蘇生の「質」を高めることの重要性が強調されるとともに，教育と普及の戦略が重要であるとして，蘇生ガイドラインに普及・教育のための方策にかかわる章が新設されました．あわせて心肺蘇生をできるだけシンプルにすることの重要性が強調され，胸骨圧迫のみの心肺蘇生の有効性も示唆されるようになりました．

- **2015年**　呼吸をしているかどうかわからないなど，心停止かどうかの判断に自信がもてなくても，心停止でなかった場合を恐れずに，ただちに心肺蘇生とAEDの使用を開始することが強調されました．このほかにも，救命の現場に遭遇した後に生じるストレスについて言及し，そのような場合は身近な人や専門家に相談することを勧めたり，119番通報時に電話で心停止の判断についての助言や胸骨圧迫の指導を受けることの大切さを強調するなど，実践的な側面が目立っています．

- **2020年**　基本的に前回2015年のガイドラインの流れを踏襲しています．反応の確認，呼吸の確認の際に，判断に迷ったら次の処置に進むことを強調しているほか，傷病者が女性の場合など，救命行動に躊躇しうる状況が数多く存在することを示し，実際の行動につなげるための工夫，支援の必要性に触れています．スマートフォンで心停止現場にボランティアに駆けつけてもらう仕組みを推奨するなど，テクノロジーの活用も求めています．

第2章 心停止のシナリオ

救命の方法 ④

ここでは，心停止への対応の理解を深めるため，付属動画の「心停止のシナリオ」1番目と2番目に沿って説明します．シナリオ1は，心室細動で電気ショックによる治療が必要な場合，シナリオ2は，心室細動ではなく電気ショックが有効でない場合です．

心停止のシナリオ

▶ 電気ショックが必要かどうか

心停止とは心臓が全身に血液を送ることができない状態を指し，心臓の筋肉の様子によって大きく2種類に分けられます．

1つは心室細動と呼ばれる心臓の筋肉が小刻みに震えている（けいれんのような）状態です．もう1つは心臓が力尽きてほぼ，あるいはまったく動いていない状態です．いずれも心停止には変わりありませんが，心室細動の状態には素早い電気ショックによって細動（細かい震え）を取り除くことができれば，高い確率で救命できるという特徴があります．突然の心停止には，この心室細動の状態が多いと推定されており，迅速な心肺蘇生とAEDによる電気ショックによってより多くの命を助けることができます．

電気ショックの実施後，すぐに心臓が元の動きをとりもどすわけではありませんので，電気ショックの後はすぐに胸骨圧迫を再開することが重要です．

● 心臓がけいれんしている心停止（電気ショック適応）

心室細動
血液を送れない
突然の心停止

電気ショック →

心室細動を止める
唯一の手段

除細動（心室細動が
消失）できているが，
心臓は動いていない

心肺蘇生 →

胸骨圧迫で脳と心臓
に血液を送る

通常心拍

※付属動画の『イントロダクション』を参照してください．

● 心臓が力尽きてほぼ，あるいは全く動いていない心停止（電気ショック非適応）

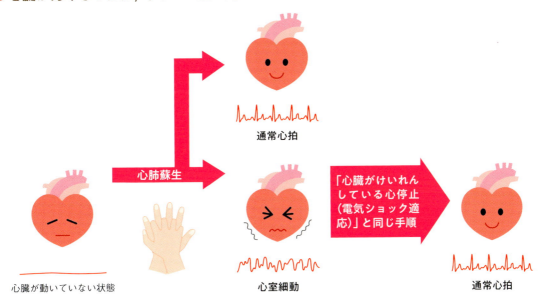

いずれの状態も心臓が血液を送り出せていないこと＝心停止であることには変わりはないため，まずは絶え間ない胸骨圧迫が重要です．胸骨圧迫は止まった心臓の代わりに脳や心臓に血液を送る手技であり，救命の可能性を高めることができます．心室細動の状態で，心肺蘇生に加えてAEDによる電気ショックが実施されれば，救命の可能性はさらに高まります．

電気ショックの適応がない場合でも，胸骨圧迫によって血液を送ることで，心臓が動き出したり，完全に止まっていたものが，電気ショックの適応である心室細動になったりすることが期待されます．

心停止の種類は外目にはわかりません．胸骨圧迫を行い，AEDを使ってみることが多くの命を救うために重要です．

シナリオ 1　運動中に突然倒れた！

　数人で運動している最中に仲間が突然倒れた，という状況設定です．心臓が止まってから発見されるまでほとんど時間が経っていないので，素早い救命処置によって救命できる可能性が高いと言えます．

　倒れた人に反応がなければ，素早く119番通報とAEDの要請を行い，胸骨圧迫を開始するとともに，胸骨圧迫の中断を最小にしながらAEDによる電気ショックを実施します．周囲の仲間と協力しつつ，素肌に直接電極パッドを貼り付けます．胸骨圧迫，AEDを用いた電気ショックにいかに短時間でたどりつくかがポイントです．AEDが近くにない場合や，AEDの到着に時間がかかった場合であっても，胸骨圧迫を救急隊の到着までしっかりと絶え間なく行えば，救命できる可能性が高くなります．

　完璧な手技ではなくても，誰かが処置を実施することで，助かる可能性は確実に上昇します．唯一の失敗はなにもしないことです．このような現場に遭遇したら，勇気をもって一歩踏み出してください．

シナリオ1
目撃のある心停止：
電気ショック適応例

■ 詳しい解説 ■

　体育館で運動中に，一人の女性が突然意識を失い倒れてしまいます．目の前の人が突然倒れたら，まず心停止を疑ってください．

　周囲の安全を確認しながら近づき，反応を確認します．反応がなければ大声で助けを呼び，集まってきた仲間たちに119番通報とAEDを持ってくるように依頼しましょう．

　あごをしゃくりあげるような異常な呼吸（死戦期呼吸）をしていますし，尋常ではない土気色（つちけ）の顔をしています．心停止と判断し，胸骨圧迫を開始します．もし心停止かどうかわからない，迷うような場合にも，心停止と判断して胸骨圧迫に進みましょう．

　AEDが到着すれば，まず電源を入れて音声指示のとおりに倒れた人の素肌に直接電極パッドを貼ります．下着が邪魔になることがありますが，ずらす工夫をすれば必ずしも脱がす必要はありません．胸骨圧迫を中断しないように貼りましょう．AEDによる解析の結果，電気ショックの適応があり，ショックボタンを押すことを指示されます．倒れている人に誰も触れていないことを確認してショックボタンを押します．ショック後はすぐに胸骨圧迫を再開します．

　その後，体に動き（体動）がみられ，呼吸が戻ったため，心肺蘇生を中止しました．救急隊は倒れたときの目撃があったか，発見者がどのような行動をとったか，どれくらい時間が経っているかなどを聞きますので，情報を提供します．

　このケースのように，心臓が止まった人に対して，ただちに胸骨圧迫とAEDを用いた電気ショックが実施されれば，その場で反応が回復する場合も多くあります．

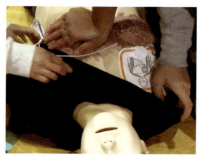

シナリオ 2　倒れてから時間が経って発見された

シナリオ1とは異なり，人が倒れる瞬間に立ち会っていたわけでありません．娘が反応がない父親を発見したという状況設定です．

シナリオ2
目撃のない心停止：
電気ショック非適応例

 心臓が止まってからある程度時間が経過してしまうと，心室細動の状態から，完全に心臓が止まってしまいAEDによる電気ショックの適応でない状況になります．

こうしたケースにおける救命の可能性は低いですが，倒れてからさほど時間が経っていないケースでは救命できる場合もあります．電気ショックが有効でない場合も，心肺蘇生は有効で唯一の救命手段となります．胸骨圧迫によって脳と心臓に血液を送ることで，心臓が動き出したり，震えはじめたり（心室細動に移行）する可能性があります．良質な心肺蘇生を継続しつつ，AEDの指示に従ってください．

■ 詳しい解説 ■

同居している父親が居間で完全に虚脱した（力が抜けた）状態で倒れているところを発見します．不審に思って近づき，声をかけてみますが反応がありません．すぐに娘を呼び，近くのAEDを取ってくるよう依頼しました．娘は隣の公民館に向かって走り去ります．このとき，慌てていて119番通報を頼み忘れたため，発見者自身が119番通報を行いました．まず119番通報をして，それからAEDの依頼をする順が理想的です．

通信指令員は，「火事なのか，救急なのか」「現場の住所はどこか」を確認し，救急車を出動させた後，「普段通りの呼吸があるかどうか」をたずねてきます．指示に従い確認しましたが自信をもって回答できません．その情報から指令員は心肺蘇生の必要性があると判断し，「心肺蘇生ができますか？」と聞いたのち，具体的な胸骨圧迫の方法を教えてくれます．また，携帯電話をスピーカーモードにして両手を空けるように促します．

指示に従い心肺蘇生を開始します．その後AEDが到着しますが，AEDによる解析の結果，電気ショックは不要との音声指示が出ましたので，家族と協力しつつ心肺蘇生を継続します．

実際の119番通報時も，このような流れで質問されます．呼吸の判断が難しい場合や，心肺蘇生の自信がない場合にも，通信指令員はそれぞれの具体的な方法について電話で教えてくれるので，安心して通報し，指示に従ってください．

残念ながら，心停止から時間が経っていると救命できない場合も多いですが，心肺蘇生を実施することで助かる可能性は上昇します．

第2章 救命の方法 ⑤ 乳児・小児の救命処置

乳児・小児の心肺蘇生

　乳児・小児に対する救命処置も，基本的な手順は大人に対する場合と同じです．
　ただし，乳児・小児は体の大きさが異なるので，いくつか異なる点があります．胸骨圧迫や人工呼吸のやり方，AEDの使い方が年齢によってそれぞれ異なりますので，次の表に大人との違いを示します．

●乳児・小児の胸骨圧迫と人工呼吸のやり方まとめ

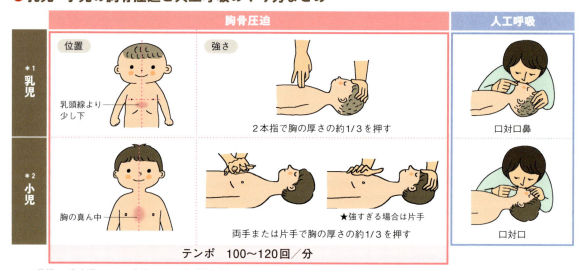

＊1　乳児：1歳未満　＊2　小児：1～15歳（思春期）

　JRC蘇生ガイドライン2020より，電極パッド・モードの名称が変更され，「小児用」→「未就学児用」に，「成人用」→「小学生～大人用」になりました．

「不慮の事故」は予防できる！

　乳児・小児の心停止の原因の多くは「不慮の事故」です．不慮の事故のうち，乳児では窒息（息が詰まって呼吸ができなくなること）が最も多く，8割以上を占めています．平成27年～令和元年の間では，1歳から14歳まですべての年齢で窒息，交通事故，溺水が不慮の事故のトップ3となっています[1]．
　不慮の事故の多くは予防することができます．窒息の原因となりそうなものを乳児・小児のそばに置かない（目安としてトイレットペーパーの芯を通るものは窒息の原因になります），車に乗せるときは必ずチャイルドシートをつける，自転車に乗るときはヘルメットをかぶらせる，遊泳の際には必ずライフジャケットを着用させるなど，日ごろから事故の予防を意識することが重要です．
　また，赤ちゃんが寝ている間に起こる突然死（乳幼児突然死症候群；SIDS）を防ぐために，うつぶせ寝や周囲での喫煙は避けましょう．できるだけ母乳で育てることも予防に有効といわれています．
　それでも，予防できずに心停止に陥ってしまった場合は勇気をもって行動することが必要です．

しかし，すでに販売されているAEDの表記は古いもののままなので注意が必要です（p.27参照）．
乳児・小児の救命処置のやり方を忘れたら，大人のやり方を思い出してください．「何か」をただちに行うことが大切です．ぜひ，勇気をもって行動していきましょう．

ここでは，乳児に対する救命処置のやり方を中心に説明します．

1）反応の確認

- 周囲の安全を確かめてから近づき，やさしく刺激して，大声で呼びかけましょう．
- 乳児の場合は，足の裏を叩いて刺激することもあります．

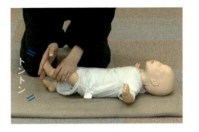

2）助けを求める「119番通報とAEDの要請」

- 目を開けない，声を出さない，泣かない，手足を動かさない場合は「反応なし」と判断します．
- 大声で叫び，助けを求めましょう．周りの助けてくれそうな人に「反応なし，119番通報，AED」の3つのキーワードを伝えます．周囲に誰もいない場合は自分で119番通報を行い，通信司令員の指示に従ってください．
- 反応がないか判断に迷う場合も119番通報をしましょう．
- 119番通報をすると通信指令員が救命処置について具体的な方法を指示してくれます．電話をスピーカーモードにすれば，指示を聞きながら救命処置をすることもできます．

反応がありません
119番，救急車，
AEDをお願いします

3）呼吸の確認（心停止の判断）

- 仰向けにして，胸やお腹の動きを観察して，通常の呼吸があるかを10秒以内で確認します．
- 心停止の直後は，顎をしゃくるような途切れ途切れの呼吸（死戦期呼吸）がしばしば見られますが，これは呼吸ではなく心停止のサインです．
- 正常な呼吸か判断に迷う場合も心停止と判断します．

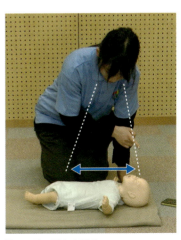

胸やお腹の動きを観察

4）胸骨圧迫

- 「呼吸がない」「普段通りの呼吸ではない（死戦期呼吸）」「判断に迷う」場合は心停止と判断し，胸骨圧迫を開始します．
- 圧迫をゆるめるときは胸が元の位置に戻るようにしてください．
- 乳児・小児だからといって怖がらないで，強く，速く，絶え間なく圧迫しましょう．

● テンポ・圧迫位置・強さ

テンポ：1分間に100〜120回の速さ　　圧迫位置：胸骨の下半分　　強さ：胸の厚さの1/3

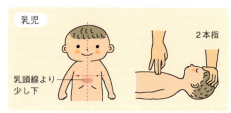 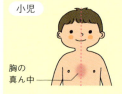 

- 1分間に100〜120回の速さで，胸の厚さの約1/3の深さを押します．
- 大人の場合と同じく，胸骨の下半分を強く圧迫します．
- 乳児の場合は2本指で，小児の場合は体格に合わせ大人と同じように両手か片手で圧迫します．

5）人工呼吸

- 胸骨圧迫30回→人工呼吸を2回繰り返し，心肺蘇生を継続します．
- 乳児に対する人工呼吸は気道を確保しながら，口を大きく開けて，乳児の口と鼻を一緒に覆い密着させて，胸が軽く上がる程度まで，約1秒かけて息を吹き込みます．
- 小児に対する人工呼吸のやり方は，大人のやり方と同じです．
- 可能であれば，感染防護具の使用を考慮してください．
- 倒れた乳児・小児が動き出すか，AEDからの指示があるか，救急隊と交代するまで救命処置を継続します．

乳児の場合は口と鼻を一緒に覆う

 乳児・小児の場合は，呼吸が悪くなったことが原因で心停止に至ることがとくに多いため，できる限り胸骨圧迫に人工呼吸を併せた心肺蘇生を行うことが望ましいと考えられます．ただし，人工呼吸の実施に戸惑う場合，時間がかかりそうな場合，うまく人工呼吸ができない場合は，人工呼吸を省略して，胸骨圧迫を継続します．
乳児・小児に接する機会の多い方は日頃から講習会で訓練を受け，人工呼吸も行う救命処置の技術を身につけておきましょう．

6 AEDの装着と救命処置の継続

- 成人と同じく，絶え間なく心肺蘇生を継続しながらAEDを装着します．
- 小学校に上がる前の乳児・小児（未就学児）には未就学児用の電極パッドや未就学児モードを使用します．
- 未就学児用モードがあるAEDは，キーを差し込んだり，レバーを操作するなどして未就学児用に切り替えて使用します．
- 未就学児用の電極パッドやモードがない場合は，小学生〜大人用を使用します．
- 乳児など体が小さい乳児・小児の場合，電極パッド同士が接触しないよう体の前後に貼るなどの工夫が必要です．

未就学児モードへの切り替えやキーの例

● 乳児・小児のAEDの電極パッド・モードの種類と使い方 (JRC蘇生ガイドライン2020より)

	未就学児用	小学生〜大人用	電極パッドが大きい場合の工夫
未就学児	推奨	可	▼前（胸部） ▼後（背部）
小学生以上	不可	推奨	

⚠ 未就学児に小学生〜大人用を使用することは許容されますが，逆に小学生以上に未就学児用モードあるいは未就学児用パッドを使ってはいけません．電気ショックが不十分となり，無駄な胸骨圧迫中断をつくってしまうおそれがあるからです．

まとめ

- 乳児・小児の救命処置の手順も大人と同じです．勇気をもって，できるだけ早く行動しましょう．
- 日頃から訓練し，乳児・小児の心停止には人工呼吸も行いましょう．できないときは胸骨圧迫とAEDだけでも実施しましょう．
- 不慮の事故による心停止を予防することも重要です．

第2章 救命の方法 ⑥

窒息

窒息への対応

▶ 窒息とは

　食べ物などが気道（空気の通り道）に詰まって息ができなくなった状態です．数分で意識を失い，心停止に至る緊急性が高い状態です．そばにいる人が適切に対処すれば命を救うことができる可能性があります．

▶ 窒息したときには

　気道が狭くなると，息を吸うときに「ヒュー，ヒュー」と高い音がすることがあります．完全に詰まり，窒息になると顔や唇が紫色になっていたり，声を出すことも息をすることもできなくなります．まずは咳をするように促しますが，強い咳ができない場合の対処法を以下に説明します．

❶ 窒息のサイン（チョークサイン）と応援の要請

　異物によって窒息を起こすと声が出せないため，周囲のひとに「詰まっている」ことを伝える方法として両手でのどをつかむような仕草をすることがあります．これを「窒息のサイン（チョークサイン）」と呼びます．
　この仕草をみたら窒息を疑い，急いで異物除去の手順を行います．

● 異物除去の手順

1) 「何か喉に詰めましたか？」などと聞いてみましょう．話せず，首を縦に振るなどしたら窒息です．また，このようなリアクションがなくても，窒息のサインを出している，顔や唇が紫色になっている，息を吸えていないと思ったら窒息として対応します．
2) 呼びかけに反応できる場合は，強い咳により自力で排出できることもあります．大声で周囲に助けを求めたうえで，強く咳をするように促してください．
3) 症状が軽いか重いかの判断に迷ったときは，119番通報をします．
4) 強い咳ができない場合，会話ができない場合はただちに119番通報を行いつつ，詰まったものを取り除くための異物除去を試みます．

窒息のサイン

この状態をみたときには緊急事態です！
すぐに助けを呼びつつ応急処置をしましょう．

❷反応がある場合の異物除去の方法

●背部叩打法

1) 傷病者を後方から，片方の手で抱えます．
2) 傷病者をやや前屈みにして，手の付け根の部分で肩甲骨の間のあたりを力強く何度も叩きます．

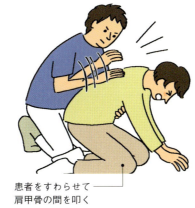

すわらせて叩く

患者をすわらせて肩甲骨の間を叩く

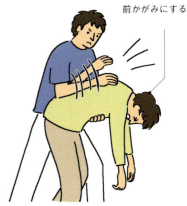

立たせた姿勢で叩く

前かがみにする

●腹部突き上げ法

1) 傷病者の背後からウエスト付近に手を回し，片手で傷病者のへその位置を確認しましょう．
2) へその位置が確認できたら，もう一方の手で握りこぶしをつくり，親指側をへその少し上で，かつ，みぞおちより十分下のほうに当て，もう一方の手で握りこぶしの手を包むように組みます．

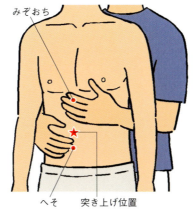

圧迫点
みぞおち
へそ　突き上げ位置

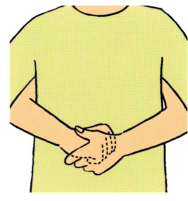

手の組み方

3) 素早く手前上方（肩）に向かって，瞬発的に鋭く突き上げるように圧迫します．

- 気道から異物が出てくるか，反応がなくなるまで繰り返します．
- ぐったりして反応がなくなった場合は，救命処置を実施します（→❸へ）．
- 太った人，妊婦に対しては，腹部突き上げ法ではなく，次に示す胸部突き上げ法を行えます．

 腹部突き上げ法を実施した場合は，内臓をいためる可能性があるため，救急隊にその旨を伝えるか，<u>医師の診察</u>を受けさせる必要があります．

● 胸部突き上げ法

- 腹部突き上げ法と同じく，人工的な咳で気道に詰まった異物を押し出す方法です．
- 腹部突き上げ法を行えない太った人や妊娠中の人にも実施できます．
- 胸の真ん中を腹部突き上げ法と同様に，握りこぶしを包むように組んだ手で素早く突き上げるように圧迫します．
- 寝かせた状態で行うときは，心停止時の胸骨圧迫と同じ要領で実施します．

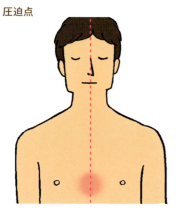

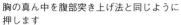

胸の真ん中を腹部突き上げ法と同じように押します

手の組み方も腹部突き上げ法と同じ

腹部突き上げ法を行えない太った人や妊娠中の人に実施できます

❸ 反応がなくなった場合の異物除去の方法：心肺蘇生

　窒息した人がぐったりして反応がなくなった場合は，心停止に対する心肺蘇生の手順を行います．周囲に助けを呼び，まだ通報していなければ119番通報を行い，AEDをもってきてもらいます．

　窒息では可能な限り気道確保のうえ人工呼吸（じんこうこきゅう）を行ってください．息を吹き込んで胸が上がらなくても，人工呼吸は2回までとし胸骨圧迫を行います．胸骨圧迫30回に対し人工呼吸を2回の比率で実施します．30回の胸骨圧迫を終え人工呼吸を実施するときに口の中をのぞき異物が見えないか確認します．異物が見えた場合は取り除きます．見えない場合は人工呼吸と胸骨圧迫を再開します．

　人工呼吸ができない場合は胸骨圧迫とAEDの使用だけでも実施してください．

● 窒息時の心肺蘇生

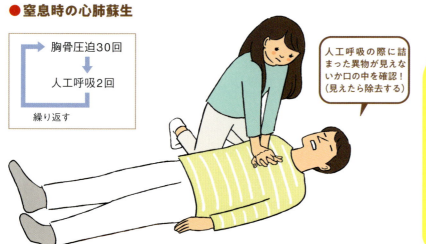

胸骨圧迫30回 → 人工呼吸2回 繰り返す

人工呼吸の際に詰まった異物が見えないか口の中を確認！（見えたら除去する）

⚠ 異物が見えないのにむやみに口の中に指などを入れて掻き出そうとするのは，危険ですのでやめておきましょう．

❹乳児に対する異物除去

乳児が窒息した場合は，背部叩打法と胸部突き上げ法を行います．腹部突き上げ法は行いません．

 1歳以上の幼児の場合はその場に応じて腹部突き上げ法を実施しても問題ありません．

●背部叩打法

1) 片腕の上に乳児をうつぶせにして膝の上に乗せ，安定させます．手のひらで乳児のあごを支えます．
2) 頭部が低くなるような姿勢にして突き出します．
3) もう一方の手の付け根の部分で力強く数回叩きます．

前から見た様子

横から見た様子

●腹部突き上げ法

1) 片腕の上に乳児の背中を乗せ仰向けにします．
2) 手のひらで乳児の後頭部を支えながら，頭部が低くなるようにします．
3) もう一方の手の指2本で，胸の真ん中を力強く連続して圧迫します．

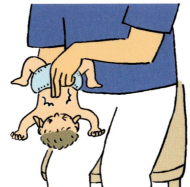

前から見た様子

横から見た様子

- 異物が取れるか，反応がなくなるまで背部叩打法と胸部突き上げ法を数回ずつ繰り返し実施します．

▶ 窒息の予防

窒息は起こったときの対応もさることながら，予防が重要です．

窒息は乳幼児と高齢者に多く認められ，乳児の死因ではトップ，幼児でもベスト3に入ります．乳幼児は何でも口に入れたがる特性があり，さらに乳児では嚥下（飲み込む力）の働きが未熟であること，奥歯が生えそろっていないため食べ物を細かくできないことが原因と考えられています．乳幼児の窒息を予防するために以下の点に注意しましょう．

● **乳幼児の窒息予防**

①トイレットペーパーの芯（直径およそ4cm）を通過する大きさのものすべてが窒息の原因になりえます．これらの大きさのものを手の届かないところに管理しておく必要があります．
②誤嚥（異物が気道に入り込むこと）しやすい食べ物，とくに豆類（ピーナッツなど）や弾力性のある食べ物（コンニャクゼリーなど），飴玉は気道異物になりやすいため，小さな子どもに与えることは避けましょう．
③乳幼児は，大きな食べ物を丸呑みしようとして窒息することがあります．食べ物は柔らかく調理し，一口で食べられるようにして，さらによく噛んでゆっくり食べるように指導しましょう．
④乳幼児は，びっくりすると口の中のものをそのまま飲み込んでしまい，窒息することがあります．食事中に急に大きな声で呼ぶなどびっくりさせるような行動は避けましょう．
⑤顔を覆ってしまうタオル，衣類やビニールなどは乳児の近くに放置しないでください．

　一方で，高齢者は加齢による嚥下機能の衰えや歯を失ったことでしっかりと噛んで飲み込む力が低下したり，脳卒中後遺症や神経筋疾患のために飲み込む力が低下することで窒息を起こしやすくなります．
　丸呑みすると詰まってしまうようなもち・パン・ご飯などは一口のサイズを小さくする，適切な入れ歯をつけるなどの工夫が必要です．適切なポジショニングは，食物の通過をスムーズにするため窒息予防にも有効です．また，高齢者は反応が乏しいため，異変が起こっても気がつきにくいという特徴があります．急な食事の中断，体が傾くなどで見つかる場合もあるので，リスクが高い場合は注意深い観察が必要です．

● **高齢者の窒息予防**

①丸呑みすると詰まってしまうようなもち，パン，ご飯などは一口のサイズを小さくする．
②適切な入れ歯をつける．
③適切なポジショニングを行う．

まとめ

● 「窒息のサイン」や症状で窒息と判断したら，すぐに助けを呼びましょう．
● 反応があれば，まずは咳をさせましょう．次に背部叩打法や腹部突き上げ法，胸部突き上げ法を試みましょう．
● 反応がなくなったら心停止と判断し，すみやかに救命処置を開始しましょう．

第2章 救命の方法⑦ 心停止の予防

第2章「救命の方法①〜⑤」では，心停止となった人への救命処置について説明してきました．迅速に救命処置を開始し，AEDを用いた電気ショックを行うことで救命の可能性は上がりますが，いったん心停止となると救命できない場合も多くあります．心臓突然死で亡くなる人を減らすためには，可能な限り心停止を未然に防ぐことが重要です．

小児では大けが，水の事故，窒息が心停止の原因となることがあります．これらは予防することが可能です．成人では心筋梗塞や脳卒中が心停止の原因になることがあります．生活習慣病が関係してくるため，ならないよう生活を整えることも重要ですが，万が一心筋梗塞や脳卒中になったときに「すぐに初期症状に気がついて救急車を要請できるか」も重要になってきます．早く119番通報を行うことで心停止を防いだり，心停止になったとしても救急隊員による早期の救命処置に繋がり，救命のチャンスも増えます．その他，入浴中の事故，熱中症，高齢者の窒息なども予防可能な原因です．

ここでは，心停止を予防するポイントと，救急隊が到着するまでにできる救急の対応について説明します．

● 救急車の呼び方

119番（110番ではありません）に電話します
↓
「火事ですか，救急ですか」と聞かれます
↓
「救急です」と答えます
↓
住所や電話番号を聴かれたら場所を伝えます
（とくに携帯電話の場合，近隣の消防署に電話がかかるとは限りません）
↓
「どうしましたか？」と聴かれたら状況を伝えます
（意識あるいは反応がない，胸を押さえて苦しがっている，など）
↓
指示に従い，救急車の到着まで，処置を継続します

救急の対応が必要な病気・症状

生きるために最も大切な臓器である心臓や脳に血液を送る血管のトラブルや，呼吸のトラブルが続くと，心停止に至るおそれがあり，すばやい119番通報と応急手当が求められます．

● **救急対応が必要な主な症状**

- □ 胸が締めつけられるような圧迫感や痛みが持続する
- □ しゃべれないくらい息が苦しい．息が苦しくて動けない
- □ 呼びかけに対する反応が鈍い（鈍くなった）．意識がない
- □ 普通の呼吸とは明らかに違う呼吸をしている
- □ 息苦しそうにしており，「ヒューヒュー」という呼吸の音が聞こえる
- □ 胸を押さえてしゃがみこんでいる．のどを押さえて苦しがっている
- □ 気が遠くなる，目の前が暗くなる症状が続く
- □ 立っていられなくなった．歩きにくくなった
- □ 言葉がしゃべりにくくなった．物が二重に見えるようになった
- □ 片方の手足に力が入らなくなった．片方の手足がしびれたまま治らない
- □ 突然，これまでに体験したことのないような強い頭痛を感じる
- □ けいれんしている
- □ 顔色が悪い．顔面蒼白(そうはく)で冷や汗をかいている
- □ その他，「これは危ない」と感じた場合

➡ 緊急でないのに救急車を呼ぶことは避けたいですが，上記の症状が出ている場合は，家族や医療機関に相談せず，ただちに119番通報しましょう．

▶ 狭心症，心筋梗塞

特徴

心臓の血管が詰まり，心臓へ流れる血液が足りなくなった状態です．その結果，心臓の筋肉が障害され，心臓のポンプ機能が低下したり，不整脈が起こったりすることがあります．突然の心停止を引き起こすことがある重篤な病気で，症状が出て最初の数時間の間に亡くなる人が多いといわれています．また，発症してから早く病院に受診することで効果的な治療を受けることができます．

● **狭心症と心筋梗塞**

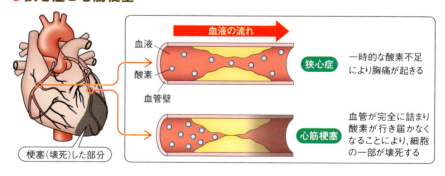

症状

症状として，胸の痛みや圧迫感，締め付けられる感じがあり，冷や汗，吐き気，息切れが伴うこともあります．痛みが肩や腕，あごやのど，歯，背中やみぞおちに及ぶこともあります．このような症状が長く（10分以上）続く場合は，歩けるような状態であっても，ただちに119番通報し救急車の要請をしてください．

脳卒中（脳血管障害）

特徴

脳への血管が詰まったり（脳梗塞），破れたり（脳出血，くも膜下出血）した状態を脳卒中（脳血管障害）といいます．

症状

- 脳梗塞・脳出血：突然の体の片側の麻痺やしびれ，顔がゆがむ，ろれつが回らない，めまい，など
- くも膜下出血：今までに経験したことのないような突然の激しい頭痛

短時間で悪化して生命に支障をきたすおそれがあり，また早ければ有効な治療もありますので，以下の表に示すような症状が出現したら，ただちに119番通報をしてください．苦痛がないからと通報をしないと治療可能な時間をのがしてしまいます．

●脳卒中の症状

□片側の手足や顔面が動かしにくくなる 　・手のひらを上に向け，両腕を前に伸ばしたときに（「さあおいで」のポーズで差し出す），手のひらが内側に向いて腕が下がっていく場合は要注意 □顔面に麻痺がある（顔の片方半分が垂れ下がる） 　・歯を見せるように「イー」としたときに片方の口角が下がっていたら要注意	□言葉がうまくしゃべれなくなる □急にしびれを感じる □めまいがして立っていられない □歩こうとするとバランスを崩す □ものが見えにくくなったり二重に見えたりする

気管支喘息

気管支喘息の発作が起こると，空気の通り道である気管支が狭くなり，呼吸がしづらくなります．重い気管支喘息の発作のときには，外からわかるくらい大きな「ヒューヒュー」という呼吸音が聞こえたり，さらに悪化すると呼吸がうまくできなくなったりします．このような発作のときは生命に危険が及ぶ場合もあるため，すみやかに119番通報をする必要があります．

気管支喘息で医療機関にかかりつけている人では，発作時に使用する吸入薬（気管支拡張薬）を携帯している場合があります．発作時は自分で薬を取り出すことも難しくなりますので，吸入の手助けをしてあげてください．

アナフィラキシー

アナフィラキシーとは，生命に関わることがある重篤な全身アレルギー反応です．食べ物，ハチ刺され，薬などさまざまなものが原因になります．経過が急で，原因となる食べ物を食べたあと30分くらい，ハチなどの昆虫に刺された場合は10分くらいで症状が出ることがあります．

全身のじんましん，唇やのどの違和感や腫れ，腹痛や嘔吐，喘息のようにゼーゼーする感じや息苦しさ，血圧が下がって意識が遠のくなどのさまざまな症状が出ることがあります．生命に関わることもありますので，アナフィラキシーを疑ったら，ただちに119番通報をしてください．

エピペン®

アナフィラキシーの既往があり，アドレナリン自己注射薬（エピペン®）を処方されて携帯しているけれど症状が重く，自分で注射の準備ができないような場合は，かばんから取り出して手渡すなど，自己注射ができるようにサポートしてください．また，救急隊にもエピペン®の情報を伝えてください．

児童，生徒などが学校現場でアナフィラキシーとなり，生命の危険がある場合は教職員や保育所の職員が本人に代わって使用することが認められています*．

エピペン®の使用で症状が改善したとしても，再度症状が出現することがあるので，必ず病院にいくようにしてください．

● **エピペン®の適応となる緊急性の高い症状**

消化器症状	・繰り返し嘔吐する ・持続する強い（がまんできない）腹痛	
呼吸器症状	・のどや胸が締め付けられる ・持続する強い咳込み ・声がかすれる ・ゼーゼーとする呼吸 ・犬が吠えるような咳 ・息がしにくい	
ショック状態 （血圧が下がっている）による症状	・唇や爪が青白い ・意識がもうろうとしている ・脈を触れにくい，不規則 ・ぐったりしている ・尿，便の失禁	

エピペン® 0.3mg

*エピペン®についての詳細はメーカーのHPを参照してください．
VIATRIS：エピペン®サイト
http://www.epipen.jp/top.html

▶ 熱中症

熱中症は重症化すると生命の危機に陥ることがあります．屋外での作業やスポーツで起こるだけではなく，高温多湿の室内で過ごす高齢者や炎天下の車内に残された子どもに起こることもあります．

立ちくらみ，筋肉の痛みやこむら返り（ふくらはぎの筋肉のけいれん），大量の汗といった症状の場合は，風通しのよい日陰やクーラーの効いた部屋などの涼しい場所に移し，服をゆるめて楽な姿勢をとり，経口補水液やスポーツドリンクを飲ませてください．水分がとれない，症状が改善しない場合は医療機関を受診させます．

頭痛，吐き気，体のだるさがあり体が熱い場合は，体を冷やし，水分がとれそうであればとってもらい，医療機関を受診させます（熱くない場合は無理に冷やさない）．体温を下げるために衣服を脱がせて体をぬるい水で濡らし，うちわや扇風機で風を当てるのが簡便で効果的です．右の図の部位を冷却パックなどで冷やす方法もあります．

意識がもうろうとしている場合はとくに危険な状態ですので，ただちに119番通報し，救急隊が到着するまで体を冷やし続けてください．溺れないように注意しつつ水風呂につけるのも効果的です．

また，熱中症を予防することも重要です．一定時間ごとに経口補水液やスポーツドリンクなどの，塩分と糖分を含んだ飲み物を補給する，暑い環境を避ける，こまめに休息をとる，帽子や風通しのよい衣服を着用するなどが予防となります．

● **冷やすと効果的な部位**

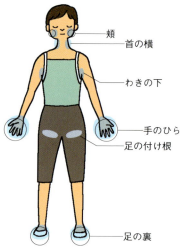

▶ お風呂での心停止

　お風呂では，事故による溺水(できすい)の他に，心筋梗塞や脳卒中などが発症し心停止となることがあります．温かい浴室と，寒い脱衣室の寒暖差が大きいことが原因といわれており，とくに寒暖差が大きくなる冬は夏と比べて心停止の頻度が約10倍あがるといわれています[1]．

　しかし，予防することが可能です．以下の点に注意してください．

①温度差を小さくする工夫をしましょう
- 冬季は浴室，脱衣所，廊下を事前に温めておきましょう．
- 長湯や熱いお湯での入浴は避けてください．

②1人にしない工夫をしましょう
- 他の家族が起きていない早朝や夜間の入浴は避けましょう．
- 入浴中は定期的に周りの人が声をかけるようにしましょう．浴室内の様子がわかるような装置があれば，より安全です．

③その他
- 飲酒後や眠気を催す薬を服用した後，食事直後の入浴は避けましょう．
- 入浴前に水分補給をし，入浴中も喉が乾いたらこまめに水分補給をしましょう．
- 肩までつかるのを避けましょう．半身浴とするのもよいです．

まとめ

- 危険だと感じたら，ためらわずに119番通報をしましょう．
- 重大な症状や危険な状態とはどのようなものかを知っておきましょう．
- 救急車を呼ぶ場面を自分の中でイメージして練習し，いざという時にあわてないように準備しておきましょう．

第2章 救命の方法⑧ 新型コロナウイルス感染症（COVID-19）流行期への対応

 基本的な対応

新型コロナウイルス感染症（COVID-19）の流行期の2020年と流行前の2019年を比較すると，心停止患者の社会復帰率やバイスタンダーCPR（心停止の現場に居合わせた人による心肺蘇生）の実施率は減少しています[1]．

●COVID-19流行前後における社会復帰率とバイスタンダーCPR実施率

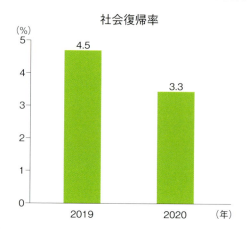

（Nishiyama C, et al: Impact of the COVID-19 pandemic on prehospital intervention and survival of patients with out-of-hospital cardiac arrest in Osaka City, Japan. Circ J CJ-22-0040, 2022をもとに作成）

COVID-19が流行している時期においても，心停止患者を救命するにはその場に居合わせた人による迅速な胸骨圧迫の開始とAEDによる電気ショックが必要であることに変わりはありません[2,3]．AEDの使用や胸骨圧迫による感染のリスクは比較的低いと考えられますので，是非積極的に救命処置に参加してください．

ただし，COVID-19流行下での心肺蘇生を行うことでエアロゾルを発生させる可能性があります．救助者も心停止患者ともに感染を防ぐため，すべての心停止患者に感染の疑いがあるものとして，感染防止対策をとって救命処置を実施します．

 COVID-19流行期での救急蘇生の手順

①感染対策

外出時は日常的にマスクをすべきとされてきましたが，他者と身体的距離（2m以上を目安）が確保でき，会話を行わない場合は必ずしもマスクは必要ないことになりました[4]（2022年8月現在）．しかし，不測の事態に備え，マスクをすぐに着用できるように常時携帯しておくことが望ましいです．

②反応の確認
　肩を叩きながら大きな声で呼びかけましょう．
　呼びかけに対する応答や，目的のある仕草がなければ119番通報とAEDの手配を行います．
③呼吸の確認
　普段通りの呼吸でなかったり，判断に迷う場合は心停止と判断します．
　この際，心停止患者にあまり顔を近づけすぎないように注意しましょう．
④エアロゾル飛散の防止
　もし，心停止患者がマスクをしてない場合は，胸骨圧迫を行う前にマスクやハンカチなどで心停止患者の鼻と口を覆います．
⑤胸骨圧迫（心肺蘇生）
　強く，速く，絶え間なく胸の真ん中を押します．
・成人には人工呼吸を行わず，胸骨圧迫とAEDによる電気ショックを行います．
・乳児・小児の場合は，救助者が講習を受けるなど人工呼吸の技術を身につけていて，かつ人工呼吸を行う意思がある場合に限り胸骨圧迫と人工呼吸を組み合わせた心肺蘇生を行ってください．

乳児・小児の心肺蘇生に人工呼吸が必要な理由

　乳児・小児の心停止の原因の多くが呼吸であること，救助者の多くが心停止になる前から濃日常的にその乳児・小児と濃厚に接している同居家族などであると考えられるためです．また，人工呼吸により救助者が感染するリスクよりも，乳児・小児の救命の可能性に重きを置いたためです．
（「乳児・小児の救命処置」について詳細はp.24〜27をご確認ください）

⑥電気ショック（AED）
　AEDが到着したら胸骨圧迫が中断されないよう速やかに装着します．
　その後は，AEDの指示に従い電気ショックを行ってください．
⑦救急隊引き継ぎ後
　救急隊に心停止患者を引き継いだ後は，すぐに石鹸と流水で手と顔をしっかりと洗ってください．
　また，手を洗うまでの間，首から上や周囲を不用意に触らないようにしてください．
　心停止患者に使用したマスクやハンカチは，直接触れないようにして廃棄してください．

　日本蘇生協議会による，「COVID-19流行下の市民による一次救命処置の要点」をまとめた図をp.40に掲載しています．ぜひご参考ください．

まとめ

- COVID-19流行下であっても，心停止患者を救命するには，その場に居合わせた人による胸骨圧迫やAEDによる電気ショックが不可欠である．
- 救助者も心停止患者も新型コロナウイルスによる感染を防ぐために，すべての心停止患者に感染の疑いがあるものとして対応する．
- 救助者はマスクを着用し，心停止患者がマスクをしていない場合は，胸骨圧迫を行う前にマスクやハンカチで心停止患者の鼻と口を覆う．
- 成人に対しては人工呼吸を行わず，胸骨圧迫とAEDによる電気ショックを行う．

●COVID-19流行下の市民による一次救命処置の要点

日常からの感染防護
- 普段からマスクを装着しておく.

反応の確認と通報
- 肩を叩きながら大声で呼びかける.
- 応答や目的のある仕草がなければ，119番.
- ハンズフリー（スピーカー）モードを活用.

呼吸の確認
- あまり近づきすぎないように.
- 普段通りの呼吸でなければ心停止.
- 判断に迷う時も心停止と考えて行動する.

エアロゾル飛散の防止
- マスクやハンカチ，タオル，衣服などで倒れている人の鼻と口を覆う.

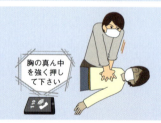

胸骨圧迫
- 強く，速く，絶え間なく.
- 成人には人工呼吸を行わない.
- 子どもには，できれば人工呼吸も行う.

AEDによる電気ショック
- AEDの指示に従い，電気ショックを行う.

引き継ぎ後の衛生
- 速やかに石鹸と流水で手と顔を十分に洗う.
- 鼻と口にかぶせたハンカチやタオルなどは，直接触れないようにして廃棄する.

COVID-19：新型コロナウイルス感染症，AED：自動体外式除細動器　　©Japan Resuscitetion Council

詳細は，日本蘇生協議会HP内「COVID-19感染症対応救急蘇生法マニュアル」をご確認ください.
◆日本蘇生協議会：COVID-19感染症対応救急蘇生法マニュアル
https://www.jrc-cpr.org/covid-19-manual/

第2章 救命の方法⑨ ストレスへの対応

　心停止の現場に遭遇すると，心身にストレス反応が生じる場合があります．具体的な症状には，過剰な興奮，フラッシュバック，不眠，不安感，自分がしたことは本当に良かったのかと思い悩む自責の念，抑うつ気分や無力感（気分が落ち込んで何もやる気がしない），身体的不調（頭痛，めまい，疲れやすさ，食欲・睡眠の問題）などがあります．

　これは救命処置にかかわったか否かや，救命処置の結果にかかわらず，誰にでも起こりうるものであり，心停止現場に遭遇した際にストレス反応が起こる可能性があることを皆が知り，支え合うことが大切です．

　また，救命処置に協力した人の心のケアの体制を整えておくことも大切です．消防・医療機関・行政・保健所など地域社会全体で，バイスタンダーサポート体制を構築することが提案されています[1]．たとえば，子どもが心停止の現場に遭遇した場合は，親や教員が積極的に経過観察と支援に努め，自分たちだけでは対処が難しいと判断した場合は，早めに専門家につなぐことが望ましいといえます．

● 大人と子どもの違いの例

- 自分のストレス反応を理解できない，言葉で伝えられない
- 大人が想像する以上に大きく受け止めてしまう
- 成長とともにそのときのことを思い出し，数年経ってから症状が出現する　　など

AED製品の紹介

　各種AED製品を紹介します．それぞれ，電源ボタンと電気ショックボタンを示しましたので参考にしてください．

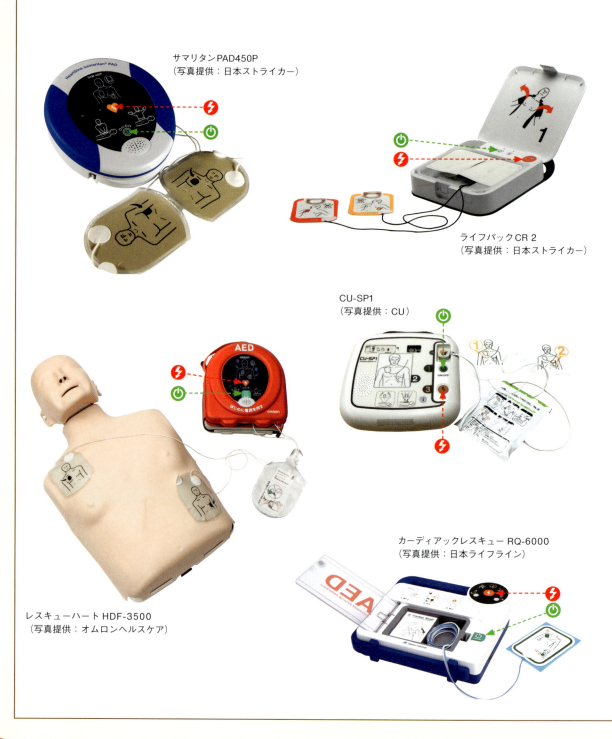

ZOLL AED Plus
(写真提供：
旭化成ゾールメディカル)

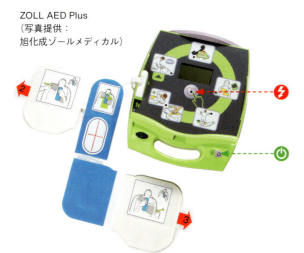

ZOLL AED 3
(写真提供：旭化成ゾールメディカル)

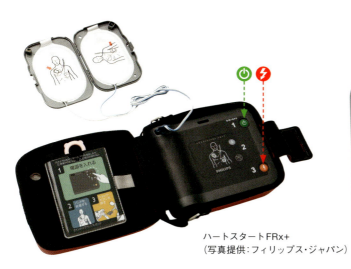

ハートスタートFRx+
(写真提供：フィリップス・ジャパン)

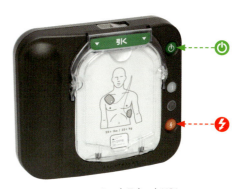

ハートスタートHS1+e
(写真提供：フィリップス・ジャパン)

カルジオライフ
AED-3100
(写真提供：
日本光電工業)

各種のAED

第3章

講習会の開き方

第3章 講習会の開き方① 胸骨圧迫のみの心肺蘇生を学ぶ短時間講習

　ここでは，学校や会社内などで自発的に講習会を行う人のために，人工呼吸を省略した胸骨圧迫のみの心肺蘇生とAEDを用いた救命処置を学ぶ講習会の開き方について説明します．
　胸骨圧迫のみの心肺蘇生には，

> ①"心肺蘇生は難しい"という印象を少なくすることができる
> ②手技がシンプルなので，すべての救助者が実施できる
> ③人工呼吸を含む心肺蘇生に比べて指導が容易で短時間で習得可能である

などのメリットがあります．このような理由から，初期の導入として胸骨圧迫のみの心肺蘇生とAEDを用いた救命処置にポイントを絞った講習は非常に効果的です．

時間割の例

　本書を使用した講習会の時間割例を示します．短時間講習では，体験の時間を十分に確保するために受講者1～2名に対し1体のマネキンまたは簡易型トレーニング教材（p.57参照）を使用することをお勧めします．

●例1　50分コース（付属動画を活用した場合）

項目		時間（分）
開会のあいさつ		1
イントロダクション		10
救命（BLS）入門講習会用*	発見から胸骨圧迫まで	15（12）
	AED	9（6）
	シナリオ	10（8）
	まとめ	2
合計		50

＊救命（BLS）入門講習会用における（　）内の時間は動画の再生時間です．体験や準備に時間がかかる場合を考慮するとそれぞれ動画の再生時間＋2～3分が実際には必要になります．

●例2　60分コース

項目		時間（分）
開会のあいさつ		1
イントロダクション		10
心肺蘇生（実習）	発見から胸骨圧迫まで	18
AEDの使い方（実習）	AEDの使用方法	16
	自施設のAEDの説明	3
救命処置の一連の流れ（付属動画のシナリオ1・2を活用）		10
質疑応答		2
合計		60

　より高い学習効果を得るためには，本書や付属の動画などを活用して自己学習を促すことが大切です．講習と自己学習を組み合わせることにより長時間の講習と同等の効果が期待できます．また，講習時間を十分にとることができる場合には，付属動画のシナリオ1・2を視聴し，救命処置の一連の流れを体験してみましょう．心停止を発見してからの動きがイメージしやすくなります．

シナリオ1
目撃のある心停止：
電気ショック適応例

シナリオ2
目撃のない心停止：
電気ショック非適応例

受講者とインストラクターの適切な割合

　従来の講習会では180分の講習においてインストラクター1名に対して受講者10名以内，実技を行う場合にはマネキン1体に対して受講者5名以内を推奨していました．しかし，このような講習では時間をかけている割に実技訓練の時間が少なく，また多くのインストラクターを確保することは困難です．

　しかし，胸骨圧迫のみの心肺蘇生を学ぶ講習の場合は，受講者1〜2名に対し1個の簡易型トレーニング教材と本書付属の動画を使用することで，動画を視聴しながらいっせいに実技訓練を行うことができるため，少ない指導者で多くの受講者を指導することが可能です．

　特定非営利活動法人 大阪ライフサポート協会では，救命（BLS）入門講習のことをPUSHコースと呼んでおり，全体統括の指導者1名と，20名の受講者に対して，1名のサポートスタッフを基本にしています．

 ## 会場の準備

　床にマネキンや簡易型トレーニング教材を置いてトレーニングをする場合，床が固いと膝が痛くなり講習の妨げとなることがあります．畳などの床の柔らかい場所を選んだり，マットを敷いたり，学校の場合には個人に座布団を持参させるなどの工夫が必要です．

　また，簡易型トレーニング教材を使用する場合，机の上で胸骨圧迫のトレーニングを行うことがあります．この際，机が高すぎると真上からの胸骨圧迫ができないといった問題が起こることがありますので，受講者の身長に合わせた机に替えるなどの配慮が必要です．

　動画を視聴しながら実技訓練を行う場合は，受講者が音声を聞き取れること，動画がよく見えることをあらかじめ確認しておきましょう．プロジェクターやマイクのアンプは可能な限り出力に余裕があるものが望ましいです．

●講習開催のためのチェックリスト

- ☐ **会場**
  - ☐ 受講者数に合った広さの会場の確保
  - ☐ 空調や照明が適切か？
  - ☐ 机は高すぎないか？（机の上で行う場合）
  - ☐ 床は固すぎないか？（床の上で行う場合）
- ☐ **映写システム・音響**
  - ☐ パソコンなどの再生機器の動作確認
  - ☐ スクリーンは大丈夫か？
  - ☐ 会場の隅々から動画を十分に視認できるか？
  - ☐ 音響装置が正常に作動し，会場の後ろまで音声が届くか？
- ☐ **トレーニング教材**
  - ☐ マネキンや簡易型トレーニング教材，AEDトレーナー（必要に応じて）の確保（予備を含む）
  - ☐ 資機材の動作確認（教材の中身がそろっているか？音は鳴るか？AEDトレーナーの電源，電極パッドに粘着力があるか？）
- ☐ **指導準備ほか**
  - ☐ 講習スタイルに合ったインストラクター数の確保と割り振り
  - ☐ トレーニング教材やインストラクターの数に合った受講生の割り振り
  - ☐ 動画の内容を把握し，講習の展開を計画できたか？
  - ☐ サポート役のインストラクターに役割を明確に伝えることができたか？

付属動画と簡易型トレーニング教材を使用した講習の進め方

まずは右に示す講習風景の写真を参考に，イメージを膨らませてください．

講習は動画の進行に合わせて一斉に行うため，参加者一人一人の理解や実習のスピードを合わせる必要があります．参加者が講習に十分参加できているか評価するために，指導者が観察すべきポイントを示します．

●講習の様子

●指導者が観察すべきポイント

- □ 蘇生を行うことの重要性を理解できる
- □ 倒れた人，倒れている人に声をかけることができる
- □ 反応の確認を行うことができる
- □ 119番通報とAEDの手配をすみやかに行える
- □ 胸の真ん中を強く，速く，絶え間なく，押すことができる
- □ AEDの電源を入れることができる
- □ 電極パッドの台紙をはがして正しい位置に貼れる
- □ 解析時に触らないように注意できる
- □ ショックボタンを押す際に安全を確認できる
- □ AEDのアナウンスをよく聴くことができる

＊ポイントが習得できていなければ，動画を止めて実施を促したり，再度繰り返し行ってください．この際，プレーヤーまたは再生アプリの「次に進む」ボタン，「前に戻る」ボタンを活用してください．

短時間でかつ実技に十分な時間を割きたいので，動画の内容とインストラクターの話がかぶらないように注意してください．また，胸骨圧迫などの実技では動画が自動的に一時停止するようになっていますので，事前にそのタイミングを確認しておきましょう．

講習は1人のインストラクターを中心とした全体進行にすると，全員の進行スピードをコントロールしやすくなります．受講者の周りでサポートするインストラクターがいる場合には，近くの受講者の動きに気を配り，適宜フィードバックを与えます．この際，フィードバックが全体進行の妨げにならないよう注意しましょう．

AEDの紹介では，自施設に設置してあるAEDを紹介するなどして，身近なものであることを印象づけることも大切です．付属動画の『各種のAED』を利用すると便利です．

各種のAED

●具体的目標（習得目標）

コース目標	目の前で突然人が倒れたときに，声をかけたり，胸骨圧迫やAEDの使用を開始するなどの行動を起こすことができる
具体的目標（習得目標）	①救命の連鎖における第一発見者の行動の重要性を理解する ②胸骨圧迫のスキルを習得する ③安全なAEDの使用法を習得する
必須指導内容	①安全確認の意義と方法 ②反応の有無の評価と救急システムの稼動方法（119番通報とAEDの手配），口頭指導について ③心停止の認識と判断に迷ったときの対応 ④胸骨圧迫 ⑤胸骨圧迫の交代 ⑥AEDを用いた安全な電気ショック ⑦胸骨圧迫とAED使用の継続 ⑧実際の心停止に遭遇した際に知っておいてほしいこと（救助者の保護について，ストレスへの対応，プライバシーへの配慮） ⑨人工呼吸が必要な心停止について

（特定非営利活動法人 大阪ライフサポート協会「PUSHコースの指導内容に関わるコンセンサス」より引用）

人工呼吸を行う心肺蘇生の学習について

　心停止の人を救命するためには，迅速かつ絶え間のない胸骨圧迫とAEDを用いた電気ショックが最重要です．一方で，心臓以外が原因であることの多い子どもの心停止などでは，人工呼吸も行うほうが救命率が高い可能性も指摘されています．この講習で心肺蘇生やAEDに興味をもたせることに成功すれば，次のステップとして，人工呼吸を行う心肺蘇生も勉強するように勧めてください．

　医療職はもちろん，保育士や学校教員など，職業上，人工呼吸を必要とする心停止に触れる可能性のある方には，より強く勧める必要があります．

　受講者の年齢や職業などの背景に合わせて，講習の目的や到達目標の設定を行ってください．

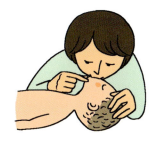

学校における学習目標

　学校における学習では，児童・生徒の年齢やそれまでの学習内容から目標を設定する必要があります．p.52に学年別の到達目標例を示します．

　詳細はコラム「学校での救命教育実践の勧め（学習指導要領の改訂をふまえて）」（p.50〜51）をご参照ください．

学校での救命教育実践の勧め（学習指導要領の改訂をふまえて）

　文部科学省では，全国のどの地域でも一定水準の教育を受けられるように，各学校でカリキュラムを編成するための基準を定めており，これを「学習指導要領」といいます．学習指導要領は10年ごとに改訂され，最近では，平成29年に小学校および中学校，平成30年に高等学校の学習指導要領が改訂され，AEDを用いた救命処置に関する記載が強化されています．中学校および高等学校の学習指導要領では「AEDの使用を含む心肺蘇生法」は「保健体育」で取り扱われ，新旧の「学習指導要領解説」には下記のように記載されています．

● （旧）中学校学習指導要領（平成20年告示）解説（p.154）

> ［保健分野］　2 内容　(3) 傷害の防止　エ 応急手当　(イ) 応急手当の方法
> 　心肺停止に陥った人に遭遇したときの応急手当としては，**気道確保，人工呼吸，胸骨圧迫などの心肺蘇生法**を取り上げ，**実習を通して理解できる**ようにする．
> 　なお，必要に応じて**AED（自動体外式除細動器）**にも**触れる**ようにする．

● （新）中学校学習指導要領（平成29年告示）解説（p.222）

> ［保健分野］　2 内容　(3) 傷害の防止　ア 知識及び技能　(エ) 応急手当の意義と実際
> ⑦ 応急手当の実際
> 　**胸骨圧迫，AED（自動体外式除細動器）使用などの心肺蘇生法**，包帯法や止血法としての直接圧迫法などを取り上げ，**実習を通して応急手当ができる**ようにする．

● （旧）高等学校学習指導要領（平成21年告示）解説（p.109）

> ［保健］　3 内容　(1) 現代社会と健康　オ 応急手当　(ウ) 心肺蘇生法
> 　心肺停止状態においては，急速に回復の可能性が失われつつあり，速やかな気道確保，人工呼吸，胸骨圧迫，AED（自動体外式除細動器）の使用などが必要であることを理解できるようにする．その際，**気道確保，人工呼吸，胸骨圧迫などの原理や方法**については，**実習を通して理解できる**よう配慮するものとする．

● （新）高等学校学習指導要領（平成29年告示）解説（p.206）

> ［保健］　3 内容　(2) 安全な社会生活　(イ) 応急手当　⑦心肺蘇生法
> 　心肺停止状態においては，急速に回復の可能性が失われつつあり，速やかな気道確保，人工呼吸，胸骨圧迫，AED（自動体外式除細動器）の使用などが必要であること，及び**方法や手順**について，**実習を通して理解し，AEDなどを用いて心肺蘇生法ができる**ようにする．

　中学校および高等学校の学習指導要領改訂で，AEDの使用を含む心肺蘇生法について「理解できる」「触れる」から実習を通じて「AEDの使用を含む心肺蘇生法ができるようにする」と変更されています．学習指導要領の改定を踏まえ，学校での救命教育を強化することで，将来，すべての国民が心肺蘇生およびAEDの使用ができるようになり，子どもたち自身の命を

守るだけでなく，わが国全体で突然の心停止からの救命率が向上することが期待されます．

●（新）小学校学習指導要領（平成29年告示）解説（p.154）

〔第5学年及び第6学年〕　2 内容　G 保健　（2）けがの防止　ア 知識及び技能
（ア）交通事故や身の回りの生活の危険が原因となって起こるけがとその防止
㋐　交通事故や身の回りの生活の危険が原因となって起こるけがを防止するためには，**周囲の状況をよく見極め，危険に早く気付いて，的確な判断の下に安全に行動する**ことが必要であることを理解できるようにする．
（イ）けがの手当
㋐　けがをしたときには，けがの悪化を防ぐ対処として，**けがの種類や程度などの状況をできるだけ速やかに把握して処置すること，近くの大人に知らせる**ことが大切であることを理解できるようにする．

　小学校学習指導要領には「心肺蘇生法およびAED」についての言及はありませんが，東京書籍，光文書院の教科書には「けがの防止」の発展として「体育活動時等における事故対応テキスト～ASUKAモデル～」が取り上げられています．

　「心肺蘇生・AED教育」と聞くと，胸骨圧迫，人工呼吸，AEDの使用などを連想する人が多いと思います．小学校高学年の体格では，まだ胸骨圧迫に必要な力がない児童もいるため，小学生には難しいと考える人もいます．
　しかし，心肺蘇生およびAEDについて，その全体を一連の流れとして学ぶことだけではなく，「小学生にできること」を中心に据えた（発達段階に応じた）内容を学ぶことも広義の心肺蘇生・AED教育として捉えることが必要です．公益財団法人 日本AED財団では，学校における発達段階に応じた心肺蘇生・AED教育を「救命教育」と命名しています．
　小学生だけでなく一般市民でも同じですが，突然，人が倒れるのを目撃したとき，「心停止かも」と考えられることが大切です．また，その場に小学生しかいなかったとしても，学習指導要領解説にもある「近くの大人に知らせる」ことで，胸骨圧迫やAED等の救命処置につなげることが可能です．また，学校や地域に設置しているAEDの場所を知っていれば，大人に教えることもできます．
　小学生に対する救命教育として，人が倒れるのを目撃したら「心停止かも」と考えられるようになること，突然の心停止には胸骨圧迫やAEDが必要なことを「体験」または「知識」として学ぶこと，自分にできることには「近くの大人に知らせる」「大人にAEDの場所を知らせる」「AEDを取りに行く」，自宅で家族が倒れたことを想定して「119番通報する，指示する」などがあることを理解し，周囲の状況をしっかりと把握して安全に行動すると学ぶことは，学習指導要領の意図にも合致していると考えられます．次回，小学校学習指導要領改訂の際には「心肺蘇生法およびAEDに関する教育」の導入が期待されます．
　また，学校だからといって，すべての児童の行動を把握することは難しく，児童が倒れる瞬間を目撃したのが友だち（児童）だけという状況も想定されます．そのとき，すぐに友だち（児童）が「近くの先生に知らせる」ことができれば，倒れた児童の命が救われる可能性が出てきます．このように「小学校からの救命教育」は，学校管理下での突然の心停止に対する危機管理にも有用だと考えられますので，多くの学校で「小学校からの教諭による救命教育」が展開されることを期待しています．

●学年別到達目標例

	小学生低学年	小学校中・高学年	中学生	高校生
主な到達目標	・自分の身の安全,倒れた人を助けるための応援要請に重点を置く ※ 実技実習は必須としない ※ 視聴覚教材でもよい	・低学年と大きくは変わらないが,実技ではAEDの使用と心肺蘇生をより確実に実施することができるようにする ・実技が必ずしも十分伴わなくても容認する	・小学生よりも確実に継続する心肺蘇生,AEDが使用できるよう重点を置き進行する	・心肺蘇生を実施する理由のバイスタンダーの必要性,重要性を理解させる ・確実なバイスタンダーを育成するべく成人同様の心肺蘇生が実施できる
知識としての到達目標	・命はかけがえのないものであることを理解する ・倒れた人を助けることの重要性を理解する ・簡単な心臓と肺の役割など,生命を維持する仕組みをおおまかに知る ・119番通報のかけ方を知る	・命はかけがえのないもので,友だちや先生と協力して助けることの重要性を理解する ・人体の解剖・生理を段階的に理解する ・生命を維持するための仕組みをおおまかに知る ・119番通報のかけ方を知り,口頭指導に従うことができる	・命の重要性を理解する.友人や先生と力をあわせ,救命することを理解する ・人体の解剖・生理を正しく理解する ・生命を維持するための仕組みを詳しく理解できる ・心肺蘇生の重要性を理解する ・119番通報のかけ方を知り,口頭指導に従うことができる	
手技としての到達目標	①自分の身の安全を確認できる ②応援要請ができる(大人を呼びにいける) ③学校や自分の家の近くのAEDの場所を把握することができる ④救急車は何番に連絡すればよいか理解する ⑤AEDをとりに行くことができる ⑥胸骨圧迫の重要性を知る ※ 状況に応じて手技を行う	①自分の身の安全を確認できる.周囲の安全確保を確認できる ②倒れている人に呼びかけてみることができる ③周りの大人に応援要請ができる ④学校や自分の家の近くのAEDの場所を把握する ⑤119番に連絡した場合,自分のいる場所を伝え,口頭指導に従って動くことができる ⑥呼吸をしているか確認し,心停止を認識できる ⑦心臓の位置を知り,胸骨圧迫ができる ⑧十分ではなくても,交代しながら友人と力をあわせ心肺蘇生を行うことができる ⑨AEDの使い方を理解できる	①自分の身の安全を確認できる.周囲の安全確保を確認できる ②倒れている人に呼びかけてみることができる ③友人や他人に応援要請ができる ④学校や自分の家の近くのAEDの場所を把握する ⑤119番に連絡した場合,自分のいる場所を伝え,口頭指導に従い動くことができる ⑥呼吸をしているか確認し,心停止を認識できる ⑦人工呼吸を理解できる ⑧心臓の位置を知り,胸骨圧迫ができる ⑨交代をしながら心肺蘇生を継続して実施できる ⑩AEDを正しく使用することができる ⑪気道異物除去を実施できる	①自分の身の安全を確認できる.周囲の安全確保を確認できる ②倒れている人に呼びかけてみることができる ③友人や他人に応援要請ができる ④学校や自分の家の近くのAEDの場所を把握する ⑤119番に連絡した場合,自分のいる場所を伝え,口頭指導に従って動くことができる ⑥呼吸をしているか確認し,心停止を確認できる ⑦人工呼吸が必要な状態を理解し,実施できる ⑧心臓の位置を知り,胸骨圧迫ができる ⑨交代をしながら心肺蘇生を継続して実施できる ⑩AEDをとりに行くことができる ⑪AEDを使用することができる ⑫気道異物除去を実施できる ⑬バイスタンダーとして心肺蘇生を実施できる.また他の子どもたちに指導できる

※あくまでも目安であり,習熟度などによって柔軟に対応してください

(日本臨床救急医学会 学校へのBLS教育導入検討委員会:心肺蘇生の指導方法,指導内容に関するコンセンサス2015, 2016.
http://jsem.umin.ac.jp/about/school_bls/teaching_consensus2015_v160303.pdfより2022年8月2日検索)

第3章 講習会の開き方② オンライン講習

▶ オンライン講習とは

　新型コロナウイルス感染症流行の影響で，全国各地で救命講習会の開催差し控えが頻発する一方で，目撃した人による救命処置の実施率の低下が報告されています[1]．感染対策に留意しつつも，救命処置を実施してもらうために救命講習会を継続することは重要なポイントです．

　そこで，「密を避ける」ためのオンライン会議ツールを用いたオンライン講習会が公益財団法人日本AED財団などで開催されています．

▶ オンライン講習の工夫

オンライン講習会を実施するにあたり，以下の点を工夫しています．

●オンライン講習会のイメージ

- インストラクター
- ●オンライン会議ツールを使用して受講
- ●「画面共有」を使用して動画教材を共有しつつ解説や実技を配信すると理解力UP!
- ●Tシャツにクッションを入れるとイメージしやすい！
- ●Tシャツクッションを体重計に乗せると圧迫の強さが測定できます．目標は30kg!!

❶ 動画教材の活用

　オンライン講習会を開催するにあたり教材を準備する必要があります．そこで，オンライン会議ツールの強みである「画面の共有」を利用して，DVDなどの動画教材を共有して学びながら，インストラクターが適宜解説や実技を入れることで対面の講習会のように開催することができます．

　動画教材としては，本書付属の動画や，NPO法人大阪ライフサポート協会の作成している「たたかう！救急アニメ　救え！ボジョレー！！」などが有用です（詳細は「心肺蘇生学びのツール（p.56-57）」ご参照ください）．

❷ シミュレーターは家庭にあるもので代用も可能

　救命処置を学ぶためには実技が不可欠です．しかし，実技のためのマネキンやAEDなどを各家庭に準備するのは難しい場合が多いと思います．そこで，自宅にあるクッションなど，押してもある程度元の形に戻るものを胸骨圧迫のシミュレーターとして代用することができます．日本AED財団のオンライン講習会では，クッションにTシャツを着せることでより人をイメージできるようにしています．

　AEDに関しては，イラストに示すようなAEDのコンソール画面のイラストを作成し，それをオンライン会議ツールで画面を共有することでスイッチを押すイメージをつきやすくしています．また，AEDの電極パッドの代わりにカード類を2枚準備してもらい，そのカードを準備したクッションに置くことで，AEDの電極パッドを貼る代用としています．

● 家庭にあるものでシミュレーション

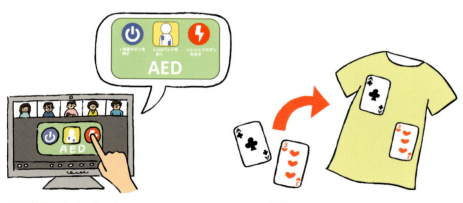

AED操作のシミュレーション　　　AED電極パッド配置のシミュレーション

❸ フィードバックの工夫

　胸骨圧迫の質をよくするためには適切なフィードバックが必要です．そこで，胸骨圧迫のテンポはクリック音を流すことで，胸骨圧迫の深さはクッションを体重計にのせて体重計の数字を見せることで，胸骨圧迫手技に対する聴覚と視覚による客観的指標をつけるようにしています．

オンライン講習のメリット

オンライン講習は感染対策が容易になる他に，次のようなメリットがあります．

①距離制限がなく参加が可能
　オンラインですのでインターネット通信環境があれば，世界中から参加が可能です．そのため，今まで地理的な問題で講習会への参加が難しかった人も参加することができるようになります．また移動が生じないため，育児や介護などの都合で自宅から長時間離れることができない人も参加することが可能です．

②会場の大きさに関係なく受講人数を増やせる
　オンライン会議ツールが定める上限の人数まで参加することが可能であり，会場の大きさで左右されることなく，比較的大人数まで対応することが可能です．

③スケジュール調整が容易
　移動時間がなくなるため，ちょっとした隙間の時間でも，講習会を開催することが可能となります．

　もちろん，メリットだけではなく，フィードバックの質の問題や，回線環境の問題など課題はあります．しかし，オンライン講習で完結させるのではなく，オンライン講習を入り口として，後日通常の講習会の受講を促すことで教育の機会を途切れさせることがなく提供できると考えられます．
　2022年7月現在，公益財団法人日本AED財団では定期的にオンライン講習会を開催しています[2]．興味のある方はぜひ一度受講してみてください．そして，教育ツールの一環として活用していただけたらと思います．

心肺蘇生学びのツール

● 心肺蘇生学びのツール

　「学校における心肺蘇生とAEDに関する調査報告書」(日本学校保健会；平成29年)によると，保健体育の授業として児童生徒を対象に実技を伴う救命教育の実施率は，高等学校66.0％，中学校58.9％，小学校11.4％となっています．このうち，指導者が学校教諭である割合はさらに低くなります．

　学校管理下で発生した突然の心停止への対応能力向上のために，学校教諭は心肺蘇生法やAEDの知識，技能を習得するだけでなく，その指導も求められています．中学校，および高等学校の学習指導要領では「実習を通して〜できるようにする」と記載変更されるなど救命教育の重みは増しています．「授業」という時間に制約がある中で救命教育を実践するには工夫が必要となります．

　例えば，胸骨圧迫などの実習に必要な「心肺蘇生トレーニング教材」を，授業を受ける生徒が一人一体ずつ使用して，一斉に胸骨圧迫などの実習を行うことで，実習に要する時間を短縮することが可能になります．

　「動画教材」を使用すれば学ぶべき内容を動画が説明するため，教員は収録されている動画を生徒に見せながら解説を加えていくのみで済み，授業の準備を軽減することができます．

　その他の教材としては，副読本や小学校，中学校，高等学校と発達段階に応じた救命教育に関する学習指導案などもあります．目的に応じてぜひご活用ください．

● 日本臨床救急医学会 学校へのBLS教育導入検討委員会

　日本臨床救急医学会の「学校へのBLS教育導入検討委員会」は，学校内における心肺蘇生・AED教育の重要性を認識し，児童および教員に対し，心肺蘇生・AED教育を実施する方策を検討するために，医師のみならず心肺蘇生・AED教育を普及しているあらゆる関係者を含め平成20年に立ち上がりました．

　平成27年には，「学校での心肺蘇生教育の普及並びに突然死ゼロを目指した危機管理体制整備の提言」を文部科学大臣あてに複数の学会と協力して提出しています．

　心肺蘇生・AEDの指導を通じて，子どもたちに「命を大事にする」ことを根付かせることが目標であり，そのために学校の授業時間で指導できるように，「学校での心肺蘇生の指導・指導内容に関するコンセンサス2015」や「学習指導案」「講義スライド例」「受講証例」「体育活動時等における危機管理体制整備チェックリスト」などの情報を「学校へのBLS教育導入検討委員会」のHPで提供していますので，ぜひご覧ください．また，日本AED財団School部会とも連携して活動を進めています，こちらのHPもご活用ください．

【学校へのBLS導入の活動】

＊日本臨床救急医学会　学校へのBLS教育導入検討委員会：https://jsem.me/bls.html
＊日本AED財団 School部会：https://aed-zaidan.jp/aed-project/shool.html

【心肺蘇生トレーニング教材】

あっぱくんライト®
(特定非営利活動法人 大阪ライフサポート協会)

心肺蘇生トレーニング教材「あっぱくんライト®」の入手方法

心肺蘇生トレーニング教材「あっぱくんライト®」は，特定非営利活動法人大阪ライフサポート協会のホームページ
(https://osakalifesupport.or.jp/)
からお求めいただけます．
検索エンジンで

と入力してください．

PUSH＆AED体験セット
(全日本学校教材教具協同組合)
http://aed-project.jp

【動画教材】

たたかう！救急アニメ
救え！ボジョレー!! Ver.5.0
(特定非営利活動法人 大阪ライフサポート協会)

【その他の教材（日本AED財団：https://aed-zaidan.jp）】

学習指導案
日本AED財団監修
「心肺蘇生・AED教材セット開発委員会」制作
(https://www.jkkcoop.net/school-push-aed/)

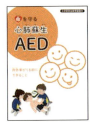

小学校安全教育副読本
「命を守る 心肺蘇生・AED」
※授業として心肺蘇生の実技実習を行う小学校には，生徒の人数分を無料で配布しています．
(https://aed-zaidan.jp/download.html)

AEDサスペンスドラマゲーム
「心止村（しんどむら）湯けむり事件簿」
(https://aed-project.jp)

救急蘇生の疑問解決 Q&A

胸骨圧迫に関する疑問

Q 心停止ではない人に誤って胸骨圧迫をしても大丈夫でしょうか？

胸骨圧迫による危害を恐れることなく，心停止を疑った場合には胸骨圧迫を行ってください．心停止でない人に胸骨圧迫を行ったとしても，重大な合併症は起こらないと言われていますので大丈夫です．判断に迷った場合にも胸骨圧迫を開始してください．

Q 胸骨圧迫で骨が折れることはありますか？

折れることはあります．しかし，それを恐れて胸骨圧迫をしなかったり，力を加減したりすると，結局その人を助けることはできません．しっかりと胸骨圧迫を行い，救命を最優先にしてください．

Q 胸骨圧迫を続けていると疲れてしまうのですが，どうしたらよいですか？

胸骨圧迫の中断は救命率の低下につながるので休憩はできません．疲れる前に周囲の人と交代しながら胸骨圧迫を続けてください．

Q なぜ人工呼吸をしなくてもよいのでしょうか？

突然の心停止の多くは，胸骨圧迫のみの心肺蘇生と，胸骨圧迫と人工呼吸を組み合わせた蘇生法とで同様の効果があることがわかってきたからです．

Q 口対口の人工呼吸で感染することはありませんか？

感染の危険性はきわめて低いです．しかし，結核や肝炎などによる感染の報告も少なからずあるので，人工呼吸の際には感染防護具を使用することが推奨されています．また，感染防護具がただちに使用できないときは，胸骨圧迫のみで開始することも推奨されています．

その他の疑問

Q 新型コロナウイルスに感染しないか心配です．気をつけることはありますか？

新型コロナウイルス感染症流行下における救命活動のポイントは，p.38〜40を参照してください．

Q 意識がなくいびきのような変な呼吸をしています．心停止との区別はつきますか？

心停止の直後には，いびきのような呼吸やあえぐような口の動きが見られることがあります．普段通りの呼吸でないと思えば"心停止"と判断し，胸骨圧迫を開始してください．

AEDに関する疑問

Q 電気ショックのときに，倒れている人に触れていた場合どうなりますか？

感電するおそれがあるので，必ず全員が離れていることを確認してください．AEDは電気ショックの適応を判断してくれるので，間違って電気ショックすることはありません．よく音声を聞いて指示に従ってください．

Q 雨が降っている場合，AEDは使えますか？

短時間で雨のかからない場所に移動できるのであれば，周囲の協力を得てすばやく移動してください．それが不可能であれば，傘やブルーシートなどで雨をよけ，最低限電気の流れる胸の部分が濡れないように注意してください．

Q 電気ショックを行うとき，倒れている人からどのくらい離れればよいのですか？

倒れている人に触れていなければ感電する危険性はありません．電気ショックボタンを押す人や周りにいる人が，誤って倒れている人に触れない程度に離れてください．

Q 小児や乳児に対して，成人と同じ電気量で電気ショックしても大丈夫ですか？

小児（未就学児）や乳児（1歳未満）に対して成人のエネルギー量で電気ショックをしても，心筋に障害を与えずよい結果をもたらしていることが報告されています．AEDに未就学児用に切り替える機能がついていなかったり，切り替える方法がわからない場合には，ただちに小学生～大人用で電気ショックを行ってください．ただし，小学生以上に対して未就学児用で電気ショックを行わないように注意してください．

Q AEDの管理はどうすればよいですか？

AEDは適切な管理が行われなければ，緊急時に作動しないなどのトラブルが起きることがあります．AEDの設置者は日常点検や消耗品の管理を実施してください．

＊厚生労働省：AEDを点検しましょう！
http://www.mhlw.go.jp/stf/seisakunitsuite/bunya/kenkou_iryou/iyakuhin/aed/
2018年11月23日更新

Q やることが多くて，緊急時に完璧にできるか不安です．

心肺蘇生の流れを完璧に行う必要はありません．大切なのはそのとき自分にできることを1つでも見つけて，行動に移すということです．また，できるだけ短い期間で繰り返しトレーニングを行い，救命処置に対する自信をつけておくことも大切です．

Q うまくいかなかったときに訴えられることはありますか？

救命処置は，基本的に義務のない第三者が他人に対して生命の危機を回避するためにする行為であり，悪意または重過失がなければ心肺蘇生の実施者が責任を問われることはありません．

救急蘇生でよく使われる用語一覧

よく使われる用語	読み方	英語	略語
アドバンス・ケア・プランニング		Advance Care Planning	ACP
一次救命処置（BLS）	いちじきゅうめいしょち	basic life support	BLS
応急手当	おうきゅうてあて		
回復体位	かいふくたいい	recovery position	
救急蘇生	きゅうきゅうそせい		
急性冠症候群	きゅうせいかんしょうこうぐん	acute coronary syndrome	ACS
救命処置	きゅうめいしょち		
胸骨圧迫	きょうこつあっぱく	chest compression	
心肺停止	しんぱいていし	cardiopulmonary arrest	CPA
自己心拍再開	じこしんぱくさいかい	return of spontaneous circulation	ROSC
死戦期呼吸	しせんきこきゅう	agonal respiration	
自動体外式除細動器	じどうたいがいしきじょさいどうき	automated external defibrillator	AED
除細動	じょさいどう	defibrillation	
心室細動	しんしつさいどう	ventricular fibrillation	VF
心臓突然死	しんぞうとつぜんし	sudden cardiac death	SCD
心停止	しんていし	cardiac arrest	CA
心肺蘇生	しんぱいそせい	cardiopulmonary resuscitation	CPR
DNAR	ディーエヌエーアール	do not attempt resuscitation	DNAR
溺水	できすい	submersion	
電気ショック	でんきしょっく	shock	
二次救命処置（ALS）	にじきゅうめいしょち	advanced life support	ALS
脳卒中	のうそっちゅう	stroke	
バイスタンダーCPR	バイスタンダーシーピーアール	bystander CPR	
PAD	ピーエーディー	public access defibrillation	PAD
ファーストエイド		first aid	
ポケット・フェイス・マスク	ぽけっとふぇいすますく	pocket face mask	

意味
将来の変化に備え，将来の医療およびケアについて，本人を主体に，そのご家族や近しい人，医療・ケアチームが，繰り返し話し合いを行い，本人による意思決定を支援する過程（人生会議）
心肺蘇生，AED，気道異物除去の3つを指す
わが国ではファーストエイドと一次救命処置すべてを含めて応急手当と呼ばれている
意識がない倒れた人（傷病者）を管理する体位．側臥位（横向き）に寝かせる
救命処置とファーストエイドの総称
不安定型狭心症や急性心筋梗塞といった冠動脈（心臓を栄養する血管）の狭窄・閉塞による心臓発作
一次救命処置・二次救命処置の総称
いわゆる心臓マッサージ．胸の真ん中にある胸骨を強く圧迫することで，心臓の代わりに心拍出を保つこと
わが国ではよく使用されているが，国際的には「心停止」が標準的に使用される．呼吸停止による心停止を含む場合は「心肺停止」と表現される
心臓の働きが回復し，脈拍が触れるようになった状態
心停止直後に見られる異常呼吸．「息をしている」と間違える場合があるので注意が必要
市民（非医療者）の使用を前提に作られた電気ショックを行う医療機器．電気ショックの必要性を判断し，音声や画面で指示を出してくれる
電気ショックで心室細動や心室頻拍が止まること（結果を意味する用語）
命にかかわる不整脈．心臓が小きざみに震えて全身に血液を送ることができない状態
心臓の病気が原因で，症状が出てから死亡までの時間が24時間以内の予期していない急死
心臓がポンプとして機能していない状態．普段どおりの呼吸をしていない，などから判断する
胸骨圧迫あるいは胸骨圧迫＋人工呼吸を行うこと
「心停止時に心肺蘇生しない」という医師による事前の指示書
おぼれること
心室細動（心室頻拍）を起こしている心臓に電気を流して心臓の震えを消そうと試みる行為
医療従事者が行う薬剤投与や高度な医療器材を用いた救命処置
脳出血，くも膜下出血，脳梗塞の総称で，脳血管障害とも呼ばれる
心停止の現場に居合わせた人が心肺蘇生を実施すること
市民がAEDを用いて電気ショックを行うことのできる体制整備のこと
急な病気やけがをした人を助けるための最初の行動で，心停止への対応は含まない．熱中症対応や止血術が含まれる
携帯型の人工呼吸器具（付属動画の「人工呼吸も行う心肺蘇生」を参照）

引用・参考文献

●1章 心臓突然死の現況
1) 総務省消防庁：令和3年版 救急救助の現況. https://www.fdma.go.jp/publication/rescue/items/kkkg_r03_01_kyukyu.pdf（2022年8月2日検索）
2) Iwami T, et al: Outcome and characteristics of out-of-hospital cardiac arrest according to location of arrest; A report from a large-scale, population-based study in Osaka, Japan. Resuscitation, 69(2): 221-228, 2006.
3) 日本学校保健会：平成25年度 学校生活における健康管理に関する調査 授業報告書. http://www.gakkohoken.jp/book/ebook/ebook_H260030/H260030.pdf（2022年7月28日検索）
4) 日本スポーツ振興センター：学校における突然死予防必携. 改訂版. 2011. http://www.jpnsport.go.jp/anzen/Portals/0/anzen/kenko/jyouhou/pdf/totsuzenshi/22/totsuzenshi22_1.pdf（2022年7月28日検索）
5) 総務省消防庁：令和2年版 救急・救助の現況 救急編. https://www.fdma.go.jp/publication/rescue/items/kkkg_r02_01_kyukyu.pdf（2022年7月28日検索）
6) Holmberg M et al. Effect of bystander cardiopulmonary resuscitation in out-of-hospital cardiacarrest patients in Sweden. Resuscitation, 47(1): 59-70, 2000.
7) 日本救急医療財団心肺蘇生法委員会監：改訂6版救急蘇生法の指針2020（市民用・解説編）. へるす出版, 2021.
8) 日本蘇生協議会監：JRC蘇生ガイドライン2020. 医学書院, 2021.
9) Kitamura T, et al: Nationwide public-acces defibrillation in Japan. N Engl J Med, 36(11): 994-1004, 2010.
10) Iwami T, et al. Effectiveness of bystander-initiated cardiac-only resuscitation for patients with out-of-hospital cardiac arrest. Circulation, 116(25): 2900-2907, 2007.
11) Bohm K, et al. Survival is similar after standard treatment and chest compression only in out-of-hospital bystander cardiopulmonary resuscitation. Circulation, 116: 2908-2912, 2007.
12) Nagao K et al. Cardiopulmonary resuscitation by bystanders with chest compression only (SOS-KANTO): an observational study. Lancet, 369: 920-926, 2007.

●2章 ①AEDを用いた救命処置の流れ
1) 日本蘇生協議会監：JRC蘇生ガイドライン2020. 医学書院, 2021.
2) Iwami T, et al. Effectiveness of bystander-initiated cardiac-only resuscitation for patients with out-of-hospital cardiac arrest. Circulation, 116(25): 2900-2907, 2007.

●2章 ②心肺蘇生
1) Holmberg M et al. Effect of bystander cardiopulmonary resuscitation in out-of-hospital cardiacarrest patients in Sweden. Resuscitation, 47(1): 59-70, 2000.

●2章 ⑤乳児・小児の救命処置
1) 日本救急医療財団：改訂6版 救急蘇生法の指針2020（市民用）. へるす出版, 2021.

●2章 ⑦心停止の予防
1) 日本救急医療財団：改訂6版 救急蘇生法の指針2020（市民用）. へるす出版, 2021.

●2章 ⑧新型コロナウイルス感染症（COVID-19）流行期への対応
1) Nishiyama C, et al: Impact of the COVID-19 pandemic on prehospital intervention and survival of patients with out-of-hospital cardiac arrest in Osaka City, Japan. Circ J CJ-22-0040, 2022.
2) 日本救急医療財団心肺蘇生法委員会：改訂6版 救急蘇生法の指針2020（市民用・解説編）. へるす出版, 2021.
3) 日本蘇生協議会監：JRC蘇生ガイドライン2020. 医学書院, 2021
4) 厚生労働省：マスクの着用について. https://www.mhlw.go.jp/stf/seisakunitsuite/bunya/kansentaisaku_00001.html（2022年8月5日検索）

●2章 ⑨ストレスへの対応
1) 日本臨床救急医学会HP：バイスタンダーとして活動した市民の心的ストレス反応をサポートする体制構築に係る提言2020. 2021年1月13日投稿. https://jsem.me/news/content_1.html（2022年7月19日検索）

●3章 ②オンライン講習
1) Nishiyama C et al：Influence of COVID-19 pandemic on bystander interventions, emergency medical service activities, and patient outcomes in out-of-hospital cardiac arrest in Osaka City, Japan. Resusc Plus. 2021 Mar；5：100088.
2) 公益財団法人日本AED財団ホームページ https://aed-zaidan.jp/index.html（2022年1月12日検索）

Index

●数字・欧文

119番通報	11,25
30対2の心肺蘇生	10
AED	5,8,11,14,20,25,27,59
ーサスペンスドラマゲーム	57
ー使用の一連の流れ	17
ーによる解析	16
BLS	4
COVID-19	38
ー流行下の市民による一時救命処置の要点	40
CU-SP1	42
PUSHコース	47
ZOLL AED 3	43
ZOLL AED Plus	43

●あ行

アドレナリン自己注射薬	36
アナフィラキシー	35
一次救命処置	4
一体型電極パッド	15
異物除去	29,30
インストラクター	47,53
エピペン®	36
オートショックAED	18
お風呂での心停止	37
オンライン講習	53

●か行

カーディアックレスキュー RQ-6000	42
学習指導案	57
学習指導要領	50
学習目標	49
学年別到達目標例	52
学校へのBLS教育導入検討委員会	56
カルジオライフ AED-3100	43
カルジオライフ AED-3250	18
簡易型トレーニング教材	48
気管支喘息	35
救急車の呼び方	33
救急対応が必要な主な症状	34
救命処置	8
救命の連鎖	8
救命率	3,5
胸骨圧迫	5,9,12,20,24,26,46,58
狭心症	34
胸部突き上げ法	30
くも膜下出血	35
講習会	46
ーの時間割	46
高等学校学習指導要領	50
口頭指導	11
呼吸の確認	11,25

●さ行

サマリタンPAD 360P	18
サマリタンPAD 450P	42
指導者	48
シミュレーター	54
社会復帰率	3,4,5,38
習得目標	49
小学生〜大人用モード	27
小学校安全教育副読本	57
小学校学習指導要領	51
除細動	21
ショックボタン	16
新型コロナウイルス感染症	38
心筋梗塞	34

人工呼吸	10,24,26,49	熱中症	36
― も行う心肺蘇生	13	脳血管障害	35
心室細動	14,20,21	脳梗塞	35
心臓突然死	2	脳出血	35
心臓の働き	2	脳卒中	35
心臓マッサージ	12		
心停止	2,4,20	●は行	
― の判断	11,25	ハートスタートFRx+	43
心肺蘇生	5,10,20,46,49	ハートスタートHS1+e	43
― トレーニング教材	57	バイスタンダーCPR	38
― 学びのツール	56	背部叩打法	29,31
ストレス	41	反応の確認	10,25
蘇生ガイドライン	19	病院外心停止	3
		フィードバック	54
●た行		腹部突き上げ法	29,31
短時間講習	46		
窒息	28	●ま行	
― 時の心肺蘇生	30	未就学児用モード	27
― のサイン	28		
― の予防	31	●ら行	
中学校学習指導要領	50	ライフパックCR2	42
チョークサイン	28	レスキューハートHDF-3500	42
通常心拍	21		
電気ショック	5,16,20		
― 適応	21		
― 非適応	21		
電極パッド	15,27		
動画教材	54,57		
●な行			
日本AED財団	57		
乳児・小児の救命処置	24		
乳児に対する異物除去	31		

カンタン！救急蘇生 改訂第3版
WEB動画でわかる胸骨圧迫とAED

2008年9月30日	初　版　第1刷発行
2016年12月1日	改訂版　第1刷発行
2022年9月5日	改訂第3版　第1刷発行

監　修	小林　正直
	石見　拓
発行人	小袋　朋子
編集人	増田　和也
発行所	株式会社 学研メディカル秀潤社
	〒141-8414　東京都品川区西五反田2-11-8
発売元	株式会社 学研プラス
	〒141-8415　東京都品川区西五反田2-11-8
印刷製本	凸版印刷株式会社

この本に関する各種お問い合わせ先
【電話の場合】
・編集内容についてはTel 03-6431-1237（編集部）
・在庫についてはTel 03-6431-1234（営業部）
・不良品（落丁，乱丁）については
　Tel 0570-000577
　学研業務センター
　〒354-0045 埼玉県入間郡三芳町上富279-1
・上記以外のお問い合わせは
　学研グループ総合案内 0570-056-710（ナビダイヤル）
【文書の場合】
・〒141-8418　東京都品川区西五反田2-11-8
　学研お客様センター
　『カンタン！救急蘇生　改訂第3版
　WEB動画でわかる胸骨圧迫とAED』係

動画の配信期間は，最終刷の年月日から起算して3年間をめどとします．
なお，動画に関するサポートは行っておりません．ご了承ください．

©Osaka Life Support Association 2022. Printed in Japan
・ショメイ：カンタンキュウキュウソセイカイテイダイサンパンウェブドウガ
　デワカルキョウコツアッパクトエーイーディー
本書の無断転載，複製，頒布，公衆送信，翻訳，翻案等を禁じます．
本書を代行業者等の第三者に依頼してスキャンやデジタル化することは，たとえ個人や家庭内の利用であっても，著作権法上，認められておりません．
本書に掲載する著作物の複製権・翻訳権・上映権・譲渡権・公衆送信権（送信可能化権を含む）は株式会社学研メディカル秀潤社が管理します．

JCOPY 〈出版者著作権管理機構委託出版物〉
本書の無断複写は著作権法上での例外を除き禁じられています．複写される場合は，そのつど事前に，出版者著作権管理機構（電話 03-5244-5088，FAX 03-5244-5089，e-mail：info@jcopy.or.jp）の許可を得てください．

　本書に記載されている内容は，出版時の最新情報に基づくとともに，臨床例をもとに正確かつ普遍化すべく，著者，編者，監修者，編集委員ならびに出版社それぞれが最善の努力をしております．しかし，本書の記載内容によりトラブルや損害，不測の事故等が生じた場合，著者，編者，監修者，編集委員ならびに出版社は，その責を負いかねます．
　また，本書に記載されている医薬品や機器等の使用にあたっては，常に最新の各々の添付文書や取り扱い説明書を参照のうえ，適応や使用方法等をご確認ください．
　　　　　　　　　　　　　　　　　　株式会社 学研メディカル秀潤社